Queda la noche

Soledad Puértolas

Queda la noche

EDITORIAL ANAGRAMA

BARCELONA

Diseño de la colección:
Julio Vivas
Ilustración de Ángel Jové

Primera edición: mayo 1998
Segunda edición: mayo 2002

© EDITORIAL ANAGRAMA, S.A., 1998
   Pedró de la Creu, 58
   08034 Barcelona

ISBN: 84-339-6608-1
Depósito Legal: B. 21099-2002

Printed in Spain

Liberduplex, S.L., Constitució, 19, 08014 Barcelona

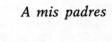

A mis padres

1

EL VERANO PASADO hice un viaje, el más largo de mi vida, por Oriente. No tengo ninguna facilidad para resolver los veranos, ese mes de vacaciones en el que me encuentro libre de mis responsabilidades y deberes y perfectamente disponible para disfrutar de las ventajas que la vida puede ofrecer. No ha resultado sencillo alcanzar esta libertad que, sin embargo, en tantas vacilaciones me sumerge, porque el trabajo, suspendido durante todo un mes, no es la única de mis obligaciones. Desde que mi hermana Raquel, hace muchos años, se casó, estoy a cargo de mis padres, que reservan toda su fragilidad para los momentos críticos, del tipo que sean, aunque sólo se trate de organizar un veraneo, y cobran un aspecto estremecedoramente desvalido en cuanto me ven salir por la puerta. Tal vez temen que no vuelva a aparecer, lo que resultaría absurdo y totalmente desmedido, y tal vez, y eso es lo que creo, como no han conseguido encontrar el tono en el que se va a desarrollar su conversación o su silencio, me lanzan una mirada de súplica, de remoto socorro. Lo que yo interpreto, en todo caso, es una petición de aplazamiento: que no los deje todavía, que les dé un poco de tiempo para acostumbrarse a vivir solos, que vuelva, en fin, cuando caiga la noche y prosigamos así algunos meses más, algunos años más, sin plantearnos ningún cambio, sin tener que tomar ninguna decisión. Nací doce años después de mi hermana Raquel, y mi infancia estuvo marcada por una sucesión de enfermedades que exigió un constante cuidado por parte de mis padres, por lo que ellos me considerarán siempre como una persona delicada y débil a quien han de prestar todo su amparo. Les gusta sentir que me lo dan, pero en alguna parte de sus conciencias algo les debe de decir que el juego se ha invertido hace mucho tiempo. Todo lo que pueden hacer es tratar de acallar sus sospechas, que se esconden tras miradas que fluctúan entre el temor y el reproche.

Pero, desde hace unos años, su veraneo se había resuelto gracias a la ayuda de Gisela von Rotten. Fue iniciativa suya, harta seguramente de escuchar cada mes de junio esas lamentaciones prematuras y temores de perder el mejor período del año. Mis padres conservan un piso en El Arenal, uno de esos pisos frente a la bahía con mirador de madera pintado de blanco. A los dos les gusta su mirador, desde el que se contempla el mar y los montes verdes y se ve llover sobre todo ello y sobre las calles, y les gusta la humedad y el suave ruido del agua sobre los paraguas, y encontrarse con sus amistades de siempre, cada uno por su lado, levemente autónomos, casi independientes. Es en lo único en lo que están profundamente de acuerdo y, si les quitaran eso, la distancia que los separa podría ensancharse peligrosamente. El problema es que no pueden ir solos, que necesitan a alguien que organice la casa y se ocupe un poco de ellos, y cuando Gisela, hace unos años, se ofreció a acompañarlos, todos vimos el cielo abierto. Apartó de sí al círculo de amistades que la mantenían permanentemente atareada y decidió ocuparse de mis padres.

Gisela tenía una extraña historia a sus espaldas

que nunca me había sido contada con precisión, tal vez porque nadie la conocía muy bien. Su padre, un alemán que había venido a instalarse en España, le debía a mi abuelo un gran favor, aunque nunca supe qué clase de favor. El caso es que la familia Von Rotten estaba en deuda con la nuestra. Pero el misterio no era ése, sino un oscuro episodio que había ocurrido en su juventud. Al parecer, su mejor amigo de la infancia había sido un chico vecino suyo, sordomudo, con quien pasaba las tardes. Cuando más adelante dijeron a sus padres que querían casarse se encontraron con una prohibición tajante. Lo que no era seguro era lo que había sucedido después: una fuga o un acto de fuerza, pero el padre de Gisela reaccionó con inapelable firmeza y la familia del chico se esfumó. Más tarde, corrió el rumor de que el chico había muerto y de que su muerte no había sido enteramente natural. Podía haberse tratado de un suicidio, de un dejarse morir. Sea como fuere, este episodio, verdadero, falso o exagerado, no resultaba incongruente con la personalidad de Gisela. Su vida consistía en prestar ayuda a los demás y su conversación giraba siempre alrededor de los grandes problemas de la humanidad y del egoísmo y miserias de los poderosos.

La convivencia entre mis padres y Gisela había resultado perfecta. La presencia de Gisela ampliaba todos los territorios. A mi padre le proporcionaba una excusa para pasar buena parte del día fuera de casa, dando vueltas por el puerto, admirando los barcos que hubieran podido llevarle lejos y sentándose en la terraza del Club de Mar junto a hombres en aquel momento también huidos de sus casas, hombres acabados o nostálgicos capaces de sentir un ligero soplo de vida frente al mar, envueltos en el humo de cigarros prohibidos en sus hogares, y consumiendo tazas de café y copas de coñac, aún todavía más censuradas. Y mi madre era libre, al fin libre, aspiración vieja y repetida hasta la saciedad y que debía de responder a unos remotos, totalmente sepultados y caducos, celos de mi padre.

La libertad de mi madre consistía, en primer lugar, en contemplar la actividad de Gisela, que mantenía la casa impecable: las toallas, traídas de Portugal, inmaculadamente blancas y siempre dobladas sobre los colgadores; las sábanas, también renovadas, guardando la inevitable humedad de la noche bajo la colcha de piqué, pero escondiendo en su pliegue más profundo una bolsa de agua caliente dejada en el último momento; la mesa, bien puesta; la comida, una permanente sorpresa, porque a Gisela le gustaba cocinar y hacer innovaciones. De modo que mi madre seguía pausadamente a Gisela por la casa en una última mirada de inspección y hasta llegaba a creer, por la satisfacción que ella le hacía sentir, que aquel orden era obra suya. Pero no eran éstas las satisfacciones más auténticas de mi madre, espíritu frívolo y huidizo que disfrutaba, como mi padre, más fuera del hogar que entre sus serenas disposiciones. El momento estelar de mi madre era cuando salía de casa, bien arreglada y perfumada, para tomar el aperitivo con sus amigas.

Pero el verano pasado, ese perfecto plan, que nos contentaba a todos y que ya parecía haber adquirido carta de naturaleza en nuestras vidas, falló, se vino abajo. Falló Gisela. Y fue sin duda su generosidad, su disponibilidad, lo que nos perdió. El veraneo de mis padres, que se había iniciado para ella como una obra de caridad, había ido cobrando matices nuevos, no tan desinteresados. En los últimos años, era ella la primera que a finales de junio sacaba el tema de El Arenal como si quisiera cerciorarse de que nada había cambiado y que sus obligaciones seguían en pie, y por el entusiasmo con que se refería a sus planes podía percibirse que ya no se trataba esencialmente de caridad y obligaciones, que ella también había encontrado, en ese favor que nos hacía, una solución a sus propios veraneos. Y tal vez por eso, porque acabó convirtiéndose en un acto voluntario y placentero, pudo renunciar a él cuando surgió un caso más grave que el veraneo de mis padres, un caso de verdadera necesidad, de caridad genuina, que suponía ciertos sacrificios. Renunció a la comodidad de nuestro piso de El Arenal y a todas sus pequeñas satisfacciones porque se sintió necesaria en otro frente. Me lo comunicó por teléfono, sin darme lugar a opinar, lo que también era muy propio de ella.

Tenía que hacerse cargo de un chico, hijo de grandes amigos suyos, que habían muerto, en accidente de tráfico, aquel invierno. El chico tenía problemas. La droga, por supuesto; de eso se trataba. No había nadie que quisiera ocuparse de él, pero las desbordantes energías y el inapelable sentido del deber de Gisela habían hecho acto de presencia. Le habían dicho que no era un caso perdido, que se necesitaba paciencia y dedicación, y ella había decidido intentarlo.

—Por lo menos, intentarlo —me dijo—. Lo hago en memoria de sus padres, que fueron como hermanos para mí.

Hermanos y hermanas de Gisela, ¿cuántos habrá? El caso era que ella ya había hecho sus planes, y para eso me llamaba, no para discutirlos, sino para comunicármelos. Quería decírmelo a mí antes que a nadie. Había alquilado una casa cerca de la clínica en la que el chico iba a ser internado —supuse que a sus expensas—, y se estaba preparando para poder ayudarle y hablar con él, porque lo iría a visitar diariamente; estaba asistiendo a un cursillo para familiares de drogadictos. Drogodependientes, creo que dijo.

Pero no es hora de hablar con ironía de sus esfuerzos ni mucho menos de menospreciarlos, sobre todo sabiendo lo que sucedió después. El caso, en aquel momento, era que acababa de desbaratar mis planes.

—No sabes cómo lo siento —dijo—. Lo siento de verdad. Me gusta mucho ir con tus padres a El Arenal, pero creo que no tendrás dificultad en encontrar a una mujer que organice la casa. Lo pasamos muy bien allí, eso es lo cierto. Tu madre y yo tenemos un grupo de amigas.

Demasiado bien lo sabía yo. En ellas estaría ya pensando mi madre. Pero no tuve más remedio que decir a Gisela que no se preocupara y que ya encontraría una solución, cuando todo lo que se me ocurría por el momento era que tendría que ir yo a El Arenal con mis padres, por lo menos, para instalarlos, mientras buscaba a una persona que pudiera ocuparse de la casa. No había ni que pensar en mi hermana Raquel. Bastantes problemas tenía con sus cinco hijos y con su insoportable marido. Pasaban los veranos a la orilla del mar, en medio de un calor asfixiante y bajo un sol cegador, porque Alfonso no podía prescindir de sus aficiones acuáticas, que iban desde la pesca submarina hasta el windsurfing. Enteramente dedicado a los placeres que el mar ofrece, indiferente a las tareas de la casa y a las diversiones de sus hijos, no hubiera sido capaz de tolerar la menor alteración de sus planes y mucho menos la presencia de dos personas mayores a las que había que dedicar algún cuidado y a las que la edad les había dado al fin vía libre para permitirse cierta dosis de impertinencia. Yo sabía que Alfonso podía negarse a recibir a mis padres en su apartamento frente al mar, en el caso improbable de que mis padres, lo suficientemente desconcertados por haberse cancelado sus planes, se hubieran plegado a esa abominable alternativa. Pero no pensé en Alfonso, sino en Raquel. No tenía valor para imponerle, sobre sus muchas obligaciones, la presencia de mis padres. Imaginaba que, pese a todo, a pesar del trabajo que su familia le exigía, habría un momento en el día en que ella también se sentiría libre y miraría al mar, al horizonte, a las puestas de sol, y lanzaría un suspiro de dolor, alivio o nostalgia.

Y las cosas no eran tan dramáticas. Más aún, cuando yo no tenía nada que hacer, ningún plan, nadie con quien pasar las vacaciones. Si todos los veranos me sumen en la incertidumbre, aquel año el desconcierto se había agravado, porque el mes de vacaciones se extendía frente a mí un poco inútil, casi amenazador: yo no sabía en qué emplear la libertad que me ofrecía y sobre todo no sabía con quién. Durante meses, había estado debatiéndome en una historia de amor, o una aventura, como se la quiera llamar o valorar, con un hombre casado, un político, para complicar más las cosas; un hombre, en suma, que tenía muy poco tiempo para mí y cuyas llamadas, escasas e imperiosas, yo esperaba fiel y pacientemente, aun a sabiendas de que desembocaban en unos encuentros siempre fugaces e insatisfactorios. Pero había tomado al fin la decisión de no verle más y me había hecho el firme propósito de decirle que no cuando volviera a llamarme, porque alguna vez hay que decir basta y ejercitar la voluntad en un acto de firmeza, inteligencia y sentido común, tantas veces en contradicción con los sentimientos.

Pedí una semana de vacaciones y un atardecer

de primeros de julio subí al tren en compañía de mis padres, envueltos en un calor ardiente que prácticamente nos impedía respirar. Mis padres, ya colocadas las maletas en su cabina, se sentaron sobre las butacas, todavía no convertidas en camas, y adquirieron un aire resignado como si en lugar de desear ese viaje que con tanta desgana hacía yo, los hubieran obligado a hacerlo. Ellos no saben que me lleno de inquietud y de tristeza en cuanto piso una estación y, ya dentro del tren, me invade un vago temor a perderme, a sobrepasar mi destino. Me proveí de varias botellas de agua mineral porque, para aumentar la impresión de obstáculo que siempre me producen los viajes, no funcionaba el aire acondicionado en los vagones. Cuando el tren arrancó y lanzó su silbido eterno, todos nos asomamos a la ventanilla, cumpliendo con el rito de las despedidas, aunque no había nadie en el andén que nos dijera adiós. Luego entramos en el compartimiento de mis padres y me senté frente a ellos, como si les estuviera haciendo una visita de cortesía. Mis padres ya habían cenado, pero mi madre había comprado unos pasteles y consideró que ése era el momento más apropiado para tomarlos, mientras el tren atravesaba los arrabales de Madrid y el día se iba despidiendo de nosotros. Yo había pedido un ticket para el primer turno de la cena y ellos me vieron marchar con complacida benevolencia. Ese permiso tácito e innecesario que ellos me daban para ir al vagón-restaurante era inseparable de los incómodos deberes y la irritación que a veces me producía su dependencia.

Y, a decir verdad, la cena solitaria en el vagón-restaurante, en medio de la noche y de retazos de conversaciones provenientes de otras mesas, cuando tenía motivos para sentirme un poco desdichada, podía tomarse como una compensación. Estaba en perfectas condiciones para disfrutar de la lentitud y la exagerada, algo incongruente, ceremonia con que es servida la comida en los trenes cuando todo está a punto de caerse y rodar por la mesa y por el suelo, porque los vaivenes son monumentales.

Cené pensando en Fernando. Reproduje en mi imaginación la última vez que nos habíamos visto. El encuentro había sido más breve que nunca. La habitación del hotel más estrecha y menos acogedora. Era mediodía, pero unas cortinas de color ocre detenían los rayos del sol en la ventana y dejaban el cuarto en penumbra. Ninguno de los dos había hablado mucho. No me había preguntado qué iba a hacer durante el verano. Como siempre, tenía prisa y otras cosas en la cabeza. Mientras, ya sola entre las sábanas, escuchaba el sonido de la ducha en el cuarto de baño y contemplaba el desorden del cuarto, mi ropa y la suya, en parte tiradas por el suelo sobre la moqueta verde oscura, en parte colocadas sobre la silla, me prometí que ésa era la última vez que nos veíamos, aunque no se lo iba a decir; no merecía la pena hacer ninguna declaración. Cuando volvió al cuarto y empezó a vestirse con gestos seguros y rápidos, estuve, sin embargo, a punto de decírselo. Miró su reloj y me preguntó: «¿Es que no te vas a vestir?» Le contesté con otra pregunta: «¿Qué más te da, si tú sales primero?» ¿Qué le importaba a él el tiempo que yo me quedara en la habitación del hotel? Pero Fernando no me había dado la oportunidad de rechazarlo. No había vuelto a llamarme, y mientras cenaba en el vagón-restaurante del tren, camino de El Arenal, sabiendo que para mis padres eso era casi sinónimo de libertad, me sentí desdichada y abandonada. Todo lo que hubiera querido era poder decir que no.

Estuve bebiendo agua toda la noche, muerta de

sed y de calor, maldiciendo la avería que nos había privado del aire acondicionado. Sólo al amanecer tuve frío, pero ya no podía dormir. Me vestí y fui a desayunar, aún velando el sueño de mis padres. Pero ese es el mejor momento del tren: el desayuno a las siete de la mañana, sin haber dormido, mientras el campo se desliza vertiginosamente al otro lado de la ventanilla, envuelto en niebla, y se tiene la sospecha de que nadie ha dormido, porque hay personas solitarias en los recodos de los caminos y en las puertas de las casas y, aunque no miren hacia el tren que pasa, se establece entre ellas y los viajeros que las miran una solidaridad íntima, como si todas las personas despiertas a esa hora fueran conocedoras de una clave de la vida que desaparece momentos después, mientras el sol se va elevando en el cielo.

Llegamos a nuestro piso a media mañana. Encendí el calentador del agua e inspeccioné los armarios en busca de la ropa blanca. La mano eficaz y bien organizada de Gisela se dejaba sentir en todos los rincones de la casa. Me había aconsejado que hablara con la mujer del bar de la esquina, que solía conocer a chicas interesadas en trabajar para los veraneantes. Dejé a mis padres ocupados en la tarea de deshacer sus maletas y salí a la calle. El recuerdo de todos mis veraneos en El Arenal estaba allí: en la casa, en las escaleras, en el portal, en la calle, en el bar de la esquina, ahora algo modernizado.

La mujer del bar no mostró ningún interés hasta que no mencioné el nombre de Gisela. Entonces, me sirvió un vaso de vino blanco y se colgó del teléfono. Tuvo largas conversaciones con tres amigas y sólo al final les preguntó si sabían de alguna chica que quisiera trabajar en una casa durante los meses de verano. Explicó bastante bien nuestras necesidades. Queríamos una chica que se hiciera cargo de todo: la casa, la compra, la cocina y la ropa. Los señores eran ya mayores. Yo no le había dicho cuáles eran exactamente nuestras necesidades y deduje que Gisela la había llamado. Cuando al fin colgó el teléfono, me dijo que una chica se presentaría en casa por la tarde. Ella no la conocía, pero una amiga suya había dado buenas referencias, aunque finalmente era yo quien tenía que decidirlo. Se extendió mucho en dejar bien claro que ella no la conocía, sin considerar que yo ya me había enterado de eso oyéndola hablar por teléfono.

Subí a casa algo más reconfortada y propuse a mis padres que comiéramos fuera. Se animaron inmediatamente y algo después estaban examinando el menú y mordisqueando marisco en un restaurante frente al puerto. Por la tarde fui al supermercado y llené la nevera y la despensa de provisiones. No lo hice con mucha energía, pero lo hice. La chica que iba a mandarme la mujer del bar no apareció. Pregunté por ella al día siguiente, mientras desayunaba. La chica estaba enferma, pero vendría, hoy o mañana. Con toda seguridad. En fin, eso le había dicho su amiga. Pero ella no la conocía, insistió. Se ofreció a subirme a casa el pan y la leche todos los días y una caja de botellas de vino, si es que me gustaba el vino que tenían allí. Acepté.

La chica vino al día siguiente. Dijo que sabía cocinar y que podía ocuparse de todo. Su novio estaba cumpliendo el servicio militar y ella no tenía nada que hacer. Además, quería ahorrar. Nos sonrió y se puso a trabajar. Parecía mentira, pero era perfecta. Se escuchaban sus pasos por la casa y el ruido de la escoba barriendo el suelo. Mis padres salían mucho de casa. Iban juntos hasta el muelle y allí se despedían como dos buenos y apacibles amigos. No podría explicar por qué razón todo eso me deprimía, pero me pareció que estaba tocando el fondo de algo y éstas son, lo sé por experiencia, impresiones peligrosas. Al cabo de unos días, decidí marcharme. No tenía nada que hacer ese verano, pero debía buscar algo, hacer algún plan, llamar a alguien, todo menos quedarme en El Arenal y retroceder al pasado.

En Madrid se respiraba un aire de desbandada general. Todo el mundo hablaba de marcharse, de pagas extraordinarias, de viajes, alquileres de casas y reservas de billetes. Quedé con Mario en un restaurante próximo a mi oficina, porque quería hablarme de su viaje a Oriente. Almorzamos junto a la ventana abierta, viendo pasar a las escasas personas que andaban por la calle a esa hora inhóspita. Me contó sus planes, que en su primera parte eran de negocios y luego se ampliaban según sus apetencias. Y me dijo que fuera con él. Mientras me hablaba, alardeando de sus conocimientos e ilusiones, no sentí por él mucha simpatía, porque su entusiasmo contrastaba demasiado con mi desconcertado estado de ánimo, pero sabía que iría con él porque al menos eso significaba cambiar de escenario y ése es uno de los consejos que suelen darse en casos como el mío.

—No te esfuerces tanto por convencerme —le dije—. Iré contigo. No quiero quedarme aquí y no voy a volver a El Arenal con mis padres.

—Se trata de Fernando, ¿no? —dijo, con expresión aburrida—. A ver si te lo quitas de la cabeza de una vez.

Mario se preciaba de conocerme bien y no daba demasiada importancia a mis obsesiones. Siempre he pensado que me tiene por una mujer fuerte.

Cuando les comuniqué a mis padres que me iba con Mario a hacer un viaje por Oriente, percibí en su respuesta cierta desaprobación. Conocían a Mario e incluso sentían simpatía por él, quien, por su parte, se esforzaba en mostrarse muy amable con ellos, pero hubieran preferido que en mi vida se introdujera una amistad nueva, un propósito de matrimonio. Eran perfectamente contradictorios. Querían y no querían que yo me casara. Partidarios de la normalidad, sabían que el precio de esa normalidad era, también, quedarse solos. Pero no podían decir a sus amistades que yo me iba de viaje con un amigo. Sabía lo que iban a decir. Dirían: se ha ido con un grupo de amigos a hacer un viaje muy interesante. Mi grupo de amigos, Mario, estampó algunas veces su firma en las postales enviadas a mis padres.

El viaje, para mí, empezó en Delhi. Había habido momentos buenos en Kyoto, donde nuestra afición por el pescado crudo fue casi colmada y donde hicimos un exhaustivo recorrido por los templos, obteniendo satisfacciones de un orden más elevado. Observé a Mario reflexionar, meditar profundamente, ante el jardín Zen del Templo de las Cien Lunas y escuché y discutí luego, mientras tomábamos té verde helado en un bar al aire libre, las ideas grandiosas, esenciales, que habían desfilado por su cabeza. Como tantos otros observadores que habían contemplado el jardín antes que él, quería encontrar su sentido oculto, el significado de las piedras que flotaban sobre la grava blanca y bien rastrillada, rodeadas de una estrecha e irregular franja de musgo quemado. Corría algo de brisa porque todavía era temprano y no había demasiados turistas a nuestro alrededor. Estuvimos mucho tiempo allí, hablando de piedras, simetrías profundas y equilibrios ocultos.

Otros dos momentos se destacan entre mis recuerdos antes de la llegada a Delhi. En el vestíbulo del hotel de Hong Kong, unos murales iban informando de la proximidad de un tifón. La gente se agrupaba frente a los paneles para enterarse de que las señales de alarma iban subiendo día a día, pero nadie parecía muy asustado. Al contrario, predominaban las sonrisas. La última noche, coincidiendo con el nivel más alto de las señales de alerta, dimos una vuelta por las calles oscurecidas y fuimos golpeados por el viento que el tifón levantaba. Al día siguiente, después de hacer una ruta turística en autobús, me di cuenta de que no tenía mi bolso. Llamé a la compañía de autobuses y tuve que contestar a un interrogatorio casi policial —no sólo me preguntaron qué hacía allí, sino si estaba sola o acompañada, de dónde venía, adónde iba y qué día pensaba regresar a mi país—, antes de que el bolso me fuera devuelto en el vestíbulo del hotel por un hombre que me sonrió educadamente mientras se llevaba al bolsillo la propina. Me dijo con un acento levemente afectuoso: «Cuídese.» Como si yo fuera una turista poco cauta. Inclinó la cabeza y se marchó. Nada faltaba en mi bolso ni en mi cartera y lamenté no haberle dado una propina más generosa. En Hong Kong, que parecía una ciudad vocacionalmente desordenada, proclive a todo tipo de intercambios y que vivía además bajo la agitación que producía un tifón cada vez más próximo, me devolvían mi bolso perdido y se permitían darme paternales consejos.

Pero el viaje para mí empezó en Delhi, como he dicho. Llegamos de madrugada. Un golpe de aire caliente nos recibió al bajar del avión, haciéndonos enmudecer. En cierto modo, parecía de día. Por el calor y por la cantidad de gente que había en el aeropuerto. Tropezamos con personas que parecían dormir y murmurar, con personas que no estaban completamente dormidas ni completamente despiertas, con bultos de ropa o de comida y, al fin, conseguimos sacar nuestro equipaje a la calle, nuestras maletas cada vez más pesadas, en busca de un taxi.

El taxista habló sin parar durante el trayecto, sin preocuparse de ser entendido, y condujo asimismo sin parar, surgiera lo que surgiera en medio de la calle. Por fortuna, todos se apartaban de su camino. Y en aquel taxi que nos llevaba al hotel con tanta prisa en un trayecto que me pareció de todos modos muy largo, me dejé envolver por la atmósfera caliente, llena de olores y ruidos, de la noche y creo que intuí que todos los pasos que había dado para llegar hasta allí eran el preámbulo de algo, y aun cuando entonces no podía saber qué sería ese algo ni las consecuencias que en mi vida tendría, recuerdo que decidí aceptarlo.

2

—ESTAMOS EN LA PARTE VIEJA de la ciudad —me informó Mario, a nuestra llegada al hotel—. Éste es uno de los hoteles más antiguos de Delhi, y todavía conserva el viejo sabor, cuando los ingleses eran los dueños de esta parte del mundo. —Echó una mirada indagadora por el oscuro vestíbulo, las butacas de terciopelo gastado y la alfombra desflecada, color vino, que cubría el suelo.

El recepcionista se tomó mucho tiempo en comprobar las reservas y, cuando ya empezábamos a pensar que nunca íbamos a ser admitidos en aquel recinto, levantó los ojos del registro, asintió, cogió las llaves y nos acompañó al ascensor que se elevó en el hueco de las escaleras haciendo un ruido escandaloso.

Mi habitación, muy amplia, con dos ventanas de guillotina y una chimenea de mármol, no era el tipo de habitación donde uno pasa dos noches y se va. Se podía vivir muy bien allí. El ventilador que pendía del techo indicaba el estancamiento del hotel: no habían instalado aire acondicionado.

A la mañana siguiente, desayunamos, tarde, en la cafetería, y especulamos sobre los viajeros que, con la idea de pasar unos días en el hotel, se habían quedado a vivir durante años. Funcionarios del gobierno o cargos directivos de empresas que, en una lenta búsqueda de acomodo, dejaban pasar los días. Cada vez parecía más difícil dar con la vivienda adecuada y, entretanto, rodeados de las comodidades del hotel, mientras tomaban cócteles en el bar, fumaban cigarrillos en la sala de lectura, repasaban la prensa inglesa, leían novelas o escribían informes y alguna carta un poco desesperada y siempre quejumbrosa, la India iba quedando cada vez más lejos. Hombres nostálgicos, que recordarían siempre, de vuelta a la patria, los días, los años, que pasaron en aquel país exótico que los rodeaba y del que percibían, desde su encierro y su refugio, los ruidos, los olores, y en el que probaron nuevos sabores y donde sus pupilas se llenaron de los colores vivos del exterior que se filtraba hasta ellos; y donde acaso alguna vez conocieron algo más, algo que les sacudió hasta el fondo. Lo recordarían en su madurez, en lentas mañanas ociosas como las que pasaba mi padre en el Club de Mar, también él nostálgico de su vida pasada, vivida o no; de esos países desconocidos que se habían quedado definitivamente sin explorar.

Visitamos la Mezquita y el Fuerte Rojo, aturdidos por el calor, el ruido y la multitud de gente que llenaba las calles polvorientas. Al traspasar la verja del hotel, totalmente agotados, escuché el sonido del agua y las voces elevadas, siempre muy elevadas alrededor de una piscina, y recordé, con alivio, que había efectivamente piscina en el hotel.

Me dejé caer sobre una tumbona mientras Mario iba a nuestras habitaciones a coger los trajes de baño. Un camarero nos trajo té frío con limón y envió a un chico en busca de un par de toallas.

Me tiré de cabeza a la piscina y nadé sin parar durante un buen rato, para liberarme del calor y para sentirme todavía más cansada, porque apenas había dormido aquella noche y cuando el cansancio se apodera de mí necesito asegurarme de que voy a poder dormir, así que trato de cansarme más. Me eché, sin secarme, sobre la tumbona y me tomé el té con limón. Mario había desaparecido.

Al otro lado de la piscina, una señora de edad indeterminada, de pelo blanco y ojos claros, protegidos por unas gafas transparentes, escribía algo en un cuaderno de notas que se apoyaba sobre su regazo. Llevaba un traje de baño azul, un modelo anticuado, con falda. Pero no parecía muy mayor; se había detenido en el umbral de toda edad y se diría envuelta en una especie de calma, de complacencia. Estuve mirándola un rato, porque me recordaba a alguien, pero no daba con quién. Cuando levantó los ojos hacia mí y curvó fugazmente los labios en una sonrisa, lo supe: tenía algo en común con Gisela von Rotten.

El cielo fue cobrando un color gris plomo, a causa del calor. Los muros del hotel, pintados de blanco, adquirieron una tonalidad rosada. La tarde se había detenido, y parecía que la noche no iba a llegar nunca. Mario seguía sin aparecer. Fui a mi habitación y me preparé un whisky, porque había tenido la precaución de comprarme una botella en el aeropuerto. Hay muchas horas muertas cuando se viaja y no siempre se tienen ganas de buscar un bar en una ciudad que no se conoce. Me duché y me eché sobre la cama, ignorando que el preámbulo de aquella historia, la que me aguardaba en Delhi, estaba a punto de concluir.

Unas horas después conocí a Ishwar. Mario se había pasado la tarde haciendo averiguaciones. Mientras yo nadaba y dormía, había conocido gente y había hecho algunos tratos. Un joven hindú, a quien él le había dicho que era poseedor de una magnífica botella de whisky, había insistido en cambiársela por hachís, material que a él le sobraba. En cambio, no tenía alcohol porque ése era un día festivo y no se podía conseguir alcohol hasta las doce, hora en la que podrían tomarse copas en cualquier bar. Mario había accedido al trato y, así, apareció en mi cuarto, después de golpear mi puerta y sacarme de las profundidades del sueño donde yo estaba perfectamente instalada y donde creo que hubiera permanecido hasta el día siguiente. Pero Mario me sacó de allí, de manera que puede considerársele el responsable último de todo lo que pasó después.

Encendí la luz, abrí la puerta y le di paso, o él lo tomó, dirigiéndose, casi sin mediar palabra, hacia la mesa donde descansaba mi botella de whisky. Había sido idea mía. La había comprado yo. Pero él la cogió dándome una explicación apresurada del trato que había acordado y que en aquel momento no entendí porque no estaba del todo despierta. De todos modos, defendí mi botella con un acendrado instinto de propiedad.

—No te la lleves toda —protesté, comprendiendo que era inútil negársela—. Déjame un poco.

Eso no le pareció del todo mal. Fue al cuarto de baño y llenó un vaso, que me dejó sobre la mesa, junto a un pequeño envoltorio en papel de seda, que supuse era la anunciada y no encargada pastilla de hachís. Los tratos son los tratos, aunque aquél se hubiera realizado a mis espaldas.

—Baja al restaurante dentro de un rato. He conocido a gente que te va a interesar —dijo después, guiñándome un ojo, y desapareció.

No tenía muchas alternativas a aquel plan, de forma que lié como pude un cigarrillo de hachís, me volví a duchar, en aquella permanente e inútil lucha contra el calor, me fui fumando el cigarrillo mientras me arreglaba, me tomé el whisky que Mario me había dejado en el vaso, y, finalmente, bajé al restaurante del hotel. Recorrí despacio el pasillo alfombrado de la planta baja, porque no tenía ninguna prisa. En realidad, la prisa de Mario, que había atravesado mi cuarto velozmente y había hablado en tono imperioso, como quien no puede perder ni un minuto de su tiempo, había producido en mí un efecto negativo. El espectáculo de una persona con prisa es irritante, es casi una ofensa para quien no tiene nada que hacer. Entré en el bar, creyendo que era el restaurante. Un cartel escrito a mano informaba, en inglés, que ese día no se servían bebidas alcohólicas. Supuse que debajo, en caracteres indios, decía lo mismo. Miré y busqué sin ver a nadie conocido. Me informaron que el restaurante estaba al final de otro pasillo.

Mientras me aproximaba, llegaron hasta mí las notas de una pieza de jazz. El comedor era bastante amplio, sólo iluminado por lámparas que descansaban sobre las mesas y que proyectaban pequeños círculos de luz sobre los blancos manteles de hilo muy gastados. Una banda de cinco músicos situada sobre una plataforma circular llenaba de acordes el salón. Vi en seguida a Mario, en una de las dos únicas mesas ocupadas del comedor y para las que se ofrecía ese concierto con exclusividad y un entusiasmo digno de todo elogio.

—Te estábamos esperando —dijo, levantándose.

Había muchas personas alrededor de esa mesa, entre ellas, Ishwar. Mario me presentó a sus nuevos amigos, gente que había ido conociendo no sé cómo a lo largo de la tarde, cultivando su evidente capacidad de comunicación, de ser sociable. Saludé a una pareja de españoles que asistía a un congreso, y a una chica, española también, que venía de Sri Lanka. Y a dos chicos hindúes: Ishwar y Aziz. La mirada

31

de Ishwar me atravesó. Calculé que sería algo más joven que yo, no mucho, y puede que bastante más experimentado que yo. Se notaba en la forma en que miraba, fumaba, hablaba y sonreía. Un chico seguro de sí mismo, que sabía que gustaba y a quien le divertía sacar partido de ello. Yo llevaba el día dando vueltas por Delhi, nadando y durmiendo, y el calor, el olor y los colores que había visto me habían llenado de vagas sensaciones; no sé en qué momento lo decidí ni si lo decidí y tampoco sé si él se propuso conscientemente conquistarme, seducirme o sólo quería pasar un rato lanzando insinuaciones y provocaciones sin excesiva premeditación, pero a lo largo de aquella cena nuestras miradas se fueron haciendo más y más cómplices. Hacía menos de una hora yo estaba terminando el whisky que me había dejado Mario en el vaso y tratando de liar un cigarrillo de tabaco rubio con hachís, para lo que, dicho sea de paso, no estoy particularmente dotada, y, en fin, tenía todo aquello en el cuerpo, el whisky y el hachís, por cierto, muy fuerte para mí, que no soy una fumadora habitual de hachís, además de los colores, olores y calor acumulados por mis sentidos durante el día. Desde que había pisado Delhi había esperado un momento como ése: tener la oportunidad de perder un poco la cabeza. De forma que cuando la cena terminó, las cartas estaban echadas.

Durante aquella cena, sucedieron otras cosas. Comimos lo que Ishwar y Aziz habían encargado y, aunque la prohibición de beber alcohol debía mantenerse hasta las doce, consiguieron, dado que la mayoría de los ocupantes de la mesa éramos occidentales, que nos trajeran cerveza. Y entre el sabor picante de la comida y la cerveza nos fuimos animando, y finalmente no éramos únicamente Ishwar y yo quienes concebimos planes o lanzamos miradas seductoras. No sé si con resultado idéntico al nuestro, pero el que más y el que menos se dedicó a ese juego y trató de ganar alguna batalla.

Producíamos, en todo caso, bastante ruido y la solitaria comensal de la otra mesa ocupada nos lanzaba constantes y largas miradas de curiosidad y cierta envidia. Yo ya conocía esas miradas. Las había recibido aquella tarde, en la piscina. Cada vez que había girado en uno de los extremos, me había encontrado con aquellos ojos azules, protegidos por gafas transparentes, al fondo de los cuales flotaba una sonrisa de complacencia que me había hecho recordar a Gisela von Rotten. La señora de la piscina, ahora en el comedor, de nuevo enfrente de mí, no pudo en aquella ocasión controlar su curiosidad. Repentinamente, se levantó y, cerca de la puerta, se volvió y se acercó hasta nosotros. En un inglés duro y muy correcto, nos dijo que tenía una cámara Polaroid y que si queríamos podía sacarnos una foto para que tuviéramos un recuerdo de aquel momento. Nos enseñó la cámara, que sacó de un voluminoso bolso.

Los ojos azules de la señora ya no tenían la protección de las gafas y brillaban, como si quisieran reflejar nuestra agitación, en un anticipo de la foto que iba a sacarnos. Le dimos las gracias y nos dispusimos a mirar a la cámara. La señora fue de un lado para otro y disparó varias veces. Nos iba dando las fotos, sobre cuya superficie íbamos apareciendo lentamente. Una vez concluida su tarea, se quedó al borde de la mesa, de pie frente a nosotros, con la máquina entre las manos y una sonrisa en los labios, mientras nosotros contemplábamos las fotos. Mario la invitó a sentarse, y ella aceptó de inmediato, como si hubiera estado esperando la invitación. Y me habló a mí, tal y como yo había esperado:

—La he estado observando en la piscina —me dijo—. Dígame, ¿de dónde es?

Antes de que yo pudiera contestar, decidió rectificar la pregunta. Paseó su mirada por todos nosotros y añadió:

—¿De dónde son todos ustedes?

Cuando le dijimos que la mayoría éramos españoles, asintió, más complacida que nunca.

—Tenía la impresión de que eran meridionales —dijo—. Conozco España y hasta llegué a hablar algo de español. Estuve allí hace muchos años, de institutriz, en un pequeño pueblo del Valle del Saúco, ¿conocen esa región?

Nadie la conocía.

—Desde que me marché, hace ya muchos años, no he vuelto —siguió—, y supongo que todo habrá cambiado mucho. Pero no me he presentado todavía. Me llamo Gudrun Holdein, soy alemana y vivo en Katmandú. Les voy a dar mi tarjeta.

Sacó de su enorme bolso unas tarjetas y las fue repartiendo entre los comensales, mientras ampliaba un poco aquellos datos sucintos. Hacía mucho que no vivía en Alemania. Después de su estancia en España, había vuelto a Bonn, donde había nacido, y allí se había quedado hasta que murió su padre. Entonces decidió venir a Oriente. Vivía en Katmandú desde hacía un par de años. Se dedicaba a realizar estudios sociales, estudios comparativos. Estaba en Delhi de paso. Se dirigía a Calcuta, a un congreso. Pero siempre que tenía que pasar por Delhi, se quedaba unos días en ese hotel, para descansar y ver a algunos conocidos. Se alojaba allí porque no había ningún problema con la comida ni con el agua. La jarra de agua que dejaban diariamente en las habitaciones se podía beber con toda tranquilidad.

Después de darnos aquella información sobre su

vida, sus costumbres y la calidad del hotel donde todos nos alojábamos, su nivel de satisfacción, que parecía alto, aún aumentó más.

—Pero no quiero interrumpirlos —dijo al fin, levantándose—. Es muy tarde para mí.

Sobre el mantel sólo quedaban los vasos con restos de cerveza y ceniceros llenos de colillas. Todos nos levantamos y mientras salíamos del comedor, Ishwar se puso a mi lado.

—¿Estás muy cansada? —me preguntó—. Si quieres, podemos dar una vuelta.

Me fue contando su vida por el pasillo. Había venido a Delhi a reunirse con su socio, un inglés. Se dedicaban a la producción de películas. Tal vez yo no lo sabía, pero el cine era la primera industria de la India. Su socio y él vivían en Londres, pero iban frecuentemente a la India a rodar las películas, cuatro veces al año por lo menos. Ahora el inglés estaba en Calcuta. Había ido a echar un vistazo a unos escenarios. No sabía cuándo iba a llegar. A lo mejor mañana. A lo mejor pasado mañana. A él no le importaba esperar. Le gustaba la vida de los hoteles. Siempre puedes conocer gente nueva.

Habíamos salido del hotel y seguíamos andando, ahora por la calle. Era medianoche. El calor había dejado de ser sofocante, pero todavía era intenso. A ambos lados de las calzadas, los camastros se alineaban contra la pared. Tendidas sobre ellos, las personas dormían. Algunas de ellas hablaban, murmuraban. Tal vez habían venido a pasar unos días en Delhi, tal vez vivían siempre así.

Unos pasos por delante de nosotros, iban Mario y Aziz, el otro chico hindú. Levantaron el brazo en busca de taxis. Volví la cabeza: los tres españoles nos seguían. Al parecer, todos habíamos decidido dar una vuelta; resultaba difícil recluirse en una habitación con ese calor. Conseguimos tres coches, aunque no resulta correcto llamarlos así; eran unos vehículos de tres ruedas, abiertos por los lados: un híbrido de coche y moto. Ishwar me empujó ligeramente para subir a uno. Vi subir a los otros: a Mario con Aziz y a la pareja de españoles con la chica que había pasado unos días en Sri Lanka.

Aquel vehículo se metió de cabeza en la noche. Daba tumbos sobre los adoquines y nos hacía botar sobre el asiento. A pesar del traqueteo, Ishwar consiguió encender un cigarrillo. Por lo que yo había observado durante la cena, sabía ya que necesitaba constantemente un cigarrillo entre los labios o entre los dedos.

—Hoy se celebra una fiesta religiosa —me dijo—. ¿No te has fijado que hay mucha gente por la calle? —Me había fijado: al final de cada calle, a un lado de cada plaza, surgían siempre varias personas que, sentadas o de pie, se agrupaban alrededor de una hoguera, como si estuvieran a la espera de algo—. ¿Te gustaría asistir a una? La entrada es libre. Cualquiera puede ser purificado. No necesitas ninguna recomendación para entrar y nadie te prestará la mínima atención. No viene mal ser purificado, ¿no crees?

Se alojaba en nuestro hotel y me había dicho muy resumidamente qué hacía en Delhi, y eso era todo lo que yo sabía de él, pero acepté su propuesta porque mientras el conductor nos desplazaba por las calles de Delhi, ya solos él y yo en el interior del vehículo, los vínculos iniciados durante la cena habían ido aumentando. Tenía que dejar que me llevara donde le pareciera, una fiesta religiosa, un café o una discoteca, un lugar donde seguir aspirando el calor de la noche y seguir avanzando hacia lo desconocido, nada o poco sorprendente una vez conocido, pero perfecto ahora en su cualidad de no probado, de terreno incierto.

Mandó al conductor que detuviera el vehículo, y el conductor le obedeció de una forma tan inmediata y brusca que nuestros cuerpos salieron disparados hacia adelante. Ishwar me sujetó, y ése fue su primer abrazo.

En la calle, mezclados con las personas que esperaban entrar en una casa —la casa del sacerdote, supuse— iluminada de forma casi agresiva y de la que provenía el sonido atronador de una voz que sin duda recitaba algo, porque el tono era monótono, sin variaciones, hubo otros abrazos, que no parecían intencionados sino inherentes a las circunstancias, pero que yo pude reconocer como lo que eran y sentir que la noche avanzaba dulcemente hacia su término, sus objetivos.

—Yo iré detrás de ti —me dijo Ishwar, mientras la gente nos empujaba más y más—. Así no te pierdo de vista. Cuando llegue tu turno, haz lo que hayas visto hacer al de delante. En realidad, lo único que tienes que hacer es inclinar un poco la cabeza.

Ya en el interior de la casa, el grupo se convirtió en una fila que atravesaba las habitaciones, las escaleras y los pasillos. Olía intensamente a incienso y se escuchaba cada vez con más fuerza el sonido de la voz que recitaba su invariable oración y retumbaba contra los muros de la casa, iluminada hasta el último rincón con velas y lámparas eléctricas, en una intensa lucha por mantener la oscuridad fuera de sus límites. Vislumbré el altar, cubierto de recipientes con frutos y semillas y, sentado frente a él, a un anciano fuerte y musculoso que miraba hacia un punto inalcanzable por encima de nuestras cabezas, e hice, cuando llegó mi turno, lo que vi hacer: me incliné hacia él y él roció mi frente con algo que resbaló sobre mi piel. Una mujer que estaba a su derecha me tendió un cucurucho de papel lleno de frutas y me despidió con una sonrisa fugaz y forzada y un movimiento enérgico de cabeza. La imité y murmuré una frase de despedida. Todo había sucedido muy de prisa, entre empujones.

De nuevo estábamos en la calle, ahora con el cucurucho de frutas entre las manos. Pero algo había cambiado entre nosotros y eso era lo que había tal vez previsto Ishwar al proponerme esa visita a la casa del sacerdote, donde habíamos sido empujados y bendecidos, atronados por la fuerte voz y cegados por las intensas luces, de donde salíamos un poco mareados por el olor del incienso y algo tambaleantes. Atravesamos la calle y volvimos a nuestro vehículo, dejando a nuestras espaldas a las personas ya bendecidas bebiendo alrededor de las hogueras un líquido lechoso que a nosotros también nos habían ofrecido en vasos de hojalata y que yo había rechazado mientras Ishwar sonreía sabiendo sin duda por qué lo rechazaba: por precaución, por temor. Habíamos asistido juntos a un rito, todo lo desordenado y rápido que se quiera, pero un rito que debía tener un sentido del que nos podíamos apropiar a nuestra manera y eso era lo que habíamos hecho, porque habíamos ido solos, haciendo esperar a nuestros ya olvidados compañeros de mesa, dondequiera que estuvieran, haciéndoles incluso pensar que nos habíamos perdido.

Probé la fruta del cucurucho que, desde que tan velozmente y sin muchas ceremonias me había sido entregado, me había hecho evocar el cucurucho de pepinillos en vinagre que mi madre me compraba cuando, muchos años atrás, yo la acompañaba al mercado. Los pepinillos me duraban exactamente lo que duraba el trayecto del mercado a casa y su fuerte sabor me incapacitaba para apreciar después los sabores de la comida, por lo que la cocinera reñía a mi madre, reprochándole su debilidad y falta de resistencia ante mis caprichos de hija tardía y delicada que, por encima de todo, en opinión de la cocinera y del médico, necesitaba comer y engordar. A diferencia de aquellos pepinillos, la fruta de aquel cucurucho era muy dulce, empalagosa, y no pude tomarla porque siento un profundo rechazo hacia los sabores dulces. Sin embargo, Ishwar parecía tener por ellos una marcada inclinación ya que consumió a bastante velocidad la fruta de su cucurucho y la del mío.

Habíamos salido de la fiesta religiosa no sólo bendecidos sino más seguros de nuestras intenciones, que habían empezado a manifestarse en unos abrazos un poco furtivos y casi disimulados y que, en el interior del vehículo, se transformaron en abrazos y besos apasionados que, entre otras cosas, hicieron que volviera a mi boca el sabor dulce de las frutas.

Ishwar hizo detener el vehículo de nuevo, esta vez sin pedir mi opinión, frente a un edificio blanco de estilo colonial, el hotel, me informó, donde habíamos quedado con el resto del grupo y en cuyo sótano había una discoteca. Yo no tenía muchos deseos de unirme a ellos, pero confiaba en la sabiduría que hasta el momento había demostrado mi acompañante.

Aquel hotel era mucho más lujoso que el nuestro, aunque databa de su tiempo. Estaba destinado a otro tipo de clientela. El vestíbulo, pavimentado de mármol blanco y profusamente decorado con divanes de terciopelo rojo, mesas bajas de madera lacada y plantas que surgían de enormes macetones, debía de ser tan sólo un anticipo, ya convertido en recuerdo, del esplendor de las fiestas privadas que debían haber tenido lugar en las habitaciones donde mujeres elegantemente vestidas habían bailado, reído o cantado, sosteniendo copas de champán ante la mirada complacida o codiciosa de sus anfitriones, mientras una nube de opio se extendía por la habitación e impregnaba la ropa de su fuerte olor.

Dejamos el vestíbulo y todo lo que sugería, anticipaba o evocaba, y descendimos por unas oscuras y estrechas escaleras hacia el sótano, la discoteca en la que nos esperaban desde hacía rato Mario y Aziz y a la que el resto del grupo, los tres españoles, no había llegado. Recuerdo muy poco aquella discoteca que sin duda era como cualquier otra, porque no estuvimos mucho tiempo en ella.

Sentí los ojos de Mario clavados en mí y su mano apretando con fuerza mi brazo.

—Nos vamos —dijo—. Levántate y ve hacia la puerta sin mirar atrás.

Me parecieron unas palabras muy extrañas.

—Luego te lo explico —insistió, en tono tajante, imperativo—. Vamos. Tengo mis razones.

Había algo en el tono de su voz que hizo que me asustara. Él mismo me ayudó a levantarme, tirándome del brazo. Fuimos muy de prisa hacia la puerta, atravesamos un cuarto muy oscuro, subimos por las escaleras estrechas y aparecimos al fin en el vestíbulo blanco y rojo.

—No puedo dejar a Ishwar —le dije—. He venido con él.

Mario, sin dignarse a contestar a mis palabras, se dirigió al mostrador de recepción y, en el mismo tono imperioso en que me había hablado a mí, pidió al recepcionista que llamara a un taxi.

—Esperaremos fuera —dijo, seguramente dirigiéndose a los dos, al recepcionista y a mí.

Se sentó en las escaleras de piedra de la entrada.

—¿Vas a decirme lo que ha pasado? —le pregunté—. No puedo irme así, sin despedirme de Ishwar.

—Estás en las nubes —dijo, riéndose—. ¿No te has dado cuenta de nada? Tu acompañante se ha puesto a liar un canuto delante mismo del vigilante. El tipo me puso la mano encima y dijo que iba a llamar a la policía. Ishwar le ha mandado a la mierda. Se han quedado discutiendo. No va a pasar nada, pero es mejor no tener líos cuando uno viaja, sobre todo si se viaja por Oriente.

—¿Qué crees que le pasará?

—Si ha cometido una estupidez así, tiene que saber defenderse. Ha querido deslumbrarte. Pero no creo que le pase nada. Ni siquiera creo que llamen a la policía, y si es que la llaman, probablemente no vendrá. Pero tienen que asustar. Este sitio pretende ser muy respetable, muy civilizado. No pueden permitir que se fume hachís como si tal cosa. La gente que les interesa no vendría a un lugar así. Ya has visto a la gente que viene aquí. Pero en fin, incluso si la policía viniera, no nos podría pasar nada. No tenemos por qué conocer a Ishwar. De todos modos, cuando las cosas se ponen feas, es mejor marcharse.

—¿Y Aziz? —pregunté, aunque no me preocupaba en absoluto, pero a veces uno pregunta lo que menos le importa porque, absurdamente, eso es lo que acude a nuestra cabeza.

—Creo que se había ido a comprar tabaco, pero no te preocupes por él. Es un chico listo, ya se las arreglará.

Al fin, llegó el taxi y, como en el día de nuestra llegada que, por mucho que me extrañara, no era otro que el día anterior, nos llevó a toda velocidad por las calles de Delhi. En aquel segundo trayecto hacia el hotel yo sólo temía que lo que se había iniciado aquella noche no llegara a su conclusión. Mario me había apartado de Ishwar por precaución, por cautela, por la misma razón por la que no tomábamos el agua de la jarra que dejaban en nuestras habitaciones y que según nos había informado la señora alemana era perfectamente bebible.

Nada más bajarnos del taxi, a la puerta de nuestro hotel, vi a Aziz, apoyado contra una de las columnas de piedra de la entrada. Fumaba un cigarrillo y sonreía, pero no todas las personas que fuman consiguen tener un aire enigmático, ni siquiera en medio de la noche.

—Os vi salir —dijo—. Me fui por la puerta de atrás. Vi al gorila discutiendo con ese tipo, Ishwar. No parece una persona muy recomendable. Lo acabo de conocer. Dice que está esperando a un productor de cine, un inglés, pero yo creo que miente. En todo caso, puede ser un americano —nos miró con un gesto cómplice, como si todos supiéramos que esa diferencia fuera esencial—. Uno de esos millonarios aburridos que buscan emociones —aclaró, más o menos—. Ishwar debe de ser su gigoló —dijo la palabra varias veces, para que la entendiéramos.

Dijo todo eso, o algo parecido, con la intención, creo, de que yo quedara afectada o advertida, una vez que mi aventura había sido interrumpida.

—¿Por qué no venís un rato a mi habitación? —nos preguntó en el pasillo—. Todavía queda whisky en la botella.

—Debe de ser mi botella —dije.

No sé si me entendió, porque me miró, interrogante, y no dijo nada.

Pero era, efectivamente, mi botella. La reconocí en seguida, en la habitación de Aziz, mientras él distribuía en tres vasos el poco whisky que quedaba en ella. Me senté en una de las camas y traté de escucharle, porque, como todas las personas que había conocido aquel día, explicó qué era lo que hacía allí.

Era comerciante y se dedicaba a las antigüedades. Su padre, viudo, tenía una tienda en Calcuta y él venía a Delhi cada cierto tiempo para visitar a algunos clientes interesados en piezas valiosas. Tenía una carpeta con fotografías. Allí estaba, sobre la mesa. La podíamos ver, si queríamos. Se levantó y nos acercó una carpeta muy gastada, llena de fotografías de viejos baúles y muebles llenos de cajones. Yo no tenía ningún interés por contemplar esas fotos borrosas de muebles, por cierto bastante espantosos, y ni siquiera sabía por qué había entrado en la habitación de Aziz, como no fuera para comprobar, en un extraño afán investigador, que había sido él, como había sospechado durante la cena, el beneficiario de mi botella de whisky. Quería estar sola en mi cuarto y mantener la esperanza de que apareciera o llamara Ishwar.

Les deseé buenas noches y salí de la habitación. Repentinamente, comprendí que estaba muy mareada. Subí al segundo piso y busqué como pude, apoyándome contra las paredes, el número 219. Vencí con dificultad la empresa que surge, ineludible y tópica, en esos casos: introducir la llave en la cerradura. Uno se siente bastante estúpido frente a un problema tan repetido en la historia de la humanidad, desde que existen las cerraduras. Ni siquiera encendí la luz del cuarto. Me eché sobre la cama y me quedé dormida antes de poder lamentarme seriamente de la interrupción de una aventura que me había parecido tan prometedora, sin poder saber, ni siquiera intuir, como durante los días siguientes, sin embargo, empecé a hacer, que por lo menos dos de las personas que había conocido aquella noche tratarían, directa o indirectamente, de forma consciente o inconsciente, de complicar un poco mi existencia.

3

ME DESPERTÓ EL TELÉFONO. En el cuarto había claridad, porque las contraventanas no habían sido cerradas, yo estaba vestida y cuando intenté levantar mi cabeza de la almohada no pude: me pesaba y me dolía. Ese estado lamentable en el que me encontraba coincidía con el vago recuerdo de haber llegado a mi cuarto desorientada y mareada y, a pesar de no encontrarme en las mejores condiciones físicas, me alegré de encontrarme allí, en mi cama y entre mis cosas. Siempre reconforta despertarse en la propia cama; es un signo de estabilidad que tranquiliza.

Mientras mi mano trataba de alcanzar el teléfono, se abrió paso, entre aquellas sensaciones confusas, la esperanza de que surgiera de aquel aparato cuyo timbre me había sobresaltado, la voz algo ronca y la especial entonación del inglés de Ishwar. Sin embargo, hube de enfrentarme a una voz femenina:

—Soy Ángela —dijo la voz—. Ayer por la noche nos perdimos y tuvimos que volver al hotel. No nos dijisteis a dónde ibais y el chófer conocía varias discotecas modernas en Nueva Delhi. Estábamos muy cansados y nos dio pereza investigar. Hoy vamos a ir al Taj Mahal. Hay sitio en el coche, ¿os apetece venir?

Miré mi reloj. Eran las siete de la mañana. Debía de haber dormido cuatro horas. No recordaba bien quién era Ángela, si la funcionaria que venía de Sri

Lanka o la mujer del especialista en algas marinas.

—Si os decidís, estaremos en el vestíbulo dentro de media hora —insistió ella—. Va a merecer la pena.

Cuando colgué, traté de poner orden en mi cabeza dolorida, únicamente atenta a su malestar, e incapaz de contener una sola idea. Tuve que forzarla y conseguí pensar en Mario, a quien la voz femenina había hecho extensiva la invitación de ir al Taj Mahal y a quien yo no tenía ningún deseo de ver, todavía molesta por haberme sacado de forma tan tajante de la discoteca, haciéndome abandonar a Ishwar. Su comportamiento, que la noche anterior, pese a todo, me había parecido sensato y razonable, a la luz de la mañana perdió algo de justificación. De ninguna manera quería pasar el día con Mario; bastante había hecho con servirle de interlocutora atenta y cordial durante las etapas anteriores del viaje, bien aderezadas con trascendentes divagaciones semifilosóficas. A Mario, pues, lo descarté y no lo llamé. Desde luego, yo quería localizar a Ishwar y aunque podía esperar y tratar de buscarlo a una hora más prudente, me invadió el temor de tener que pasar el día esperándole inútilmente, lo que me remitía al estado en que había pasado aquel año, siempre a la espera de la llamada de Fernando. Demasiado bien sabía yo lo que es pasar las horas a la espera de una llamada. Aun cuando no estaba segura de poder pronunciar correctamente el nombre de Ishwar, llamé a recepción y pedí que me pusieran con él. Me entendieran bien o mal, no dudaron, y en seguida escuché el timbre del teléfono sonar y sonar, sin que nadie contestara. Si es que el recepcionista había entendido bien el nombre de Ishwar tan malamente pronunciado por mí, y ésa era su habitación, estaba vacía. Ishwar no había pasado la noche en el hotel.

Volví a llamar a recepción y pregunté si la llave de Ishwar estaba en el casillero. Estaba.

Decidí ir al Taj Mahal, por razones nada turísticas, sólo por no quedarme sola en el hotel en una espera inútil, por la misma razón, a fin de cuentas, por la que me había embarcado en aquel viaje con Mario. El miedo, o el temor, muchas veces, nos hace avanzar y por eso, a pesar de padecerlo y odiarlo, no la tengo por la peor de las emociones, si no es muy intenso.

Me metí bajo la ducha, me vestí y pedí el desayuno. En el vestíbulo me esperaba Ángela, que resultó ser la funcionaria, y en seguida apareció el matrimonio. Me preguntaron por Mario, y les dije que no sabía nada de él. Debía de estar dormido porque nos habíamos acostado muy tarde. Pregunté si su llave estaba en el casillero y me dijeron que no. Entonces se me ocurrió dejarles unos recados a los dos, a Mario y a Ishwar, lo que me pareció casi una genialidad dado el estado lamentable de mi cabeza.

La carretera del Taj Mahal estaba tan llena de obstáculos como las calles de Delhi. Coches, autobuses, motos, carros, carromatos, camellos, vacas y muchas personas la cruzaban sin mirar nunca hacia los extremos de la carretera. Pero el campo estaba vacío. Tenía un color amarillo, ocre. En grandes charcos de agua sucia, las vacas parecían hundirse y dormitar para siempre. El calor caía sobre el campo, mientras nosotros, a salvo, lo atravesábamos envueltos en el aire acondicionado del coche. En unas obras de la carretera, una mujer con un sari naranja y azul turquesa nos miró, remotamente curiosa, con sus ojos ribeteados de un color negro intenso. Llevaba en las manos un enorme ladrillo, y su cuerpo se inclinaba hacia adelante, vencido por el peso. Su muñeca estaba cubierta de pulseras de plata y marfil. Debía de ser incómodo trabajar con ellas, pero seguramente eran sus únicas posesiones y no se quería separar de ellas ni un segundo. Pensé eso que se piensa algunas veces: cómo hubiera sido mi vida de haber sido yo esa mujer. Es un pensamiento que te llena de melancolía y te da, momentáneamente, una ambigua impresión de profundidad e insignificancia. A mí me consoló, no sé de qué, seguramente de estar entre personas que apenas conocía y que no me podían interesar en aquella mañana de resaca y dolor de cabeza.

Fue un viaje largo, más largo de lo que yo había imaginado, en mi ignorancia de las distancias y mi poca o nula tendencia a consultar las guías, tarea que hasta el momento siempre había asumido Mario; y mi arrepentimiento por haberme decidido a hacerlo fue en aumento, conforme más nos alejábamos de Delhi, que era donde yo quería estar, y adonde era de prever íbamos a regresar muy tarde. Después de alguna parada para poner gasolina, que siempre aprovechábamos para comprar botellas de agua mineral fría, el taxista nos dejó en nuestra meta: a la entrada de los jardines del Taj Mahal, en medio de una multitud de turistas, en su mayoría hindúes. Nos mezclamos con ellos y fuimos acercándonos al Taj Mahal mientras íbamos cubriéndonos de sudor.

Antes de atravesar la puerta principal, había que descalzarse o ponerse unas terribles fundas de lona. Pero el suelo ardía y no tuvimos más remedio que cubrir nuestros pies con aquellas pesadas y enormes fundas. Recorrimos magníficas estancias y patios, arrastrando los pies por el suelo sagrado. Yo estaba demasiado cansada y hacía demasiado calor. Había demasiada gente a mi alrededor y el Taj Mahal era demasiado grande. Brillaba, blanco y majestuoso, bajo el sol, y cegó mis ojos.

Dimos la vuelta al imponente edificio y nos asomamos al río. Un río marrón, ancho, detenido, levemente agitado por una corriente de aire. Ese río fangoso parecía no avanzar hacia ninguna parte y sentí una gran simpatía por él, casi identificación. Me apoyé en la balaustrada y dejé que mi imaginación atravesara el río, porque lo mejor siempre está en la otra orilla, donde el campo amarillo seguía extendiéndose hacia el infinito, salpicado sin duda de aldeas polvorientas donde vivirían mujeres vestidas con saris de colores vivos, ojos muy pintados y brazos cubiertos de pulseras.

—Me siento muy mal —dijo, a mi lado, Ángela—. Creo que me voy a desmayar.

Me volví y la vi, pálida y con los ojos casi cerrados. Entre los tres la llevamos de vuelta al coche, aunque no fue fácil dar con él en aquel aparcamiento lleno de coches y sin una sola sombra. Una vez localizado, el conductor nos recomendó que fuéramos a un hotel a pasar las peores horas del calor. Nos lo dijo por señas, pero lo entendimos perfectamente. En los aseos del hotel nos empapamos en agua fría, literalmente, de la cabeza a los pies, y tal vez esa escena se hubiera guardado en mi memoria como el mejor momento de aquella excursión —todavía puedo rememorar la sensación del agua fría sobre mi cuerpo—, si no hubiera sucedido, mucho después, lo que por desgracia sucedió y que lo transforma en recuerdo doloroso. Y lo mismo ocurre con la conversación que, mientras, ya repuestos, devorábamos un grueso solomillo y bebíamos ávidamente grandes jarras de cerveza helada, se desarrolló en el comedor del hotel. Ángela habló de sí misma, de la función esencial que en su vida tenía el trabajo, de la necesidad que sentía de estar siempre ocupada, para lo cual adquiría más compromisos profesionales de los que seguramente era capaz de cumplir. No le presté demasiada atención porque mi cabeza estaba en otra parte, cada vez más centrada en el recuerdo de la noche anterior, y aunque sé que mis comentarios no hubieran solucionado ninguno de sus problemas, perdí para siempre la oportunidad de ofrecerle mi amistad o mi capacidad de comprensión, si es que la tengo, y eso siempre es dramático. El tiempo se nos escapa de las manos, no se puede volver atrás y cambiar nuestras reacciones, con tanta frecuencia injustas o indebidas. Pero ya nada puede hacerse y sólo me queda lamentarlo.

Durante el viaje de vuelta, me quedé dormida, y eso hizo que al llegar a Delhi me sintiera mejor, aunque más inquieta, sin saber si encontraría a Ishwar o no lo volvería a ver en mi vida.

Sin embargo, lo vi en seguida, nada más traspasar el umbral de la puerta del hotel. Estaba sentado en una de las butacas de terciopelo oscuro y gastado del vestíbulo, con un cigarrillo entre sus delgados dedos. Se levantó y me abrazó como si no nos hubiéramos visto en mucho tiempo, o como si las circunstancias de nuestra separación hubieran sido trágicas.

—Creí que no llegabas nunca —susurró a mi oído—, que a lo mejor habíais decidido quedaros a dormir en alguna parte. Llevo todo el día esperándote. Encontré tu recado cuando volví al hotel, esta mañana.

—¿Qué pasó anoche? —le pregunté—. Mario me obligó a marcharme de la discoteca.

—Lo sé —rió—. Le he visto hoy. No pasó nada, en realidad. Acabé haciéndome amigo del vigilante. Es un buen tipo. Siempre se ha podido fumar allí. No sé por qué diablos actuó así. Pero luego se le pasó. Hemos estado por ahí toda la noche, una noche endiablada. Yo lo que quería era estar contigo.

Los españoles se despidieron de mí mientras Ishwar me iba llevando por el pasillo hacia el bar.

—Vamos a brindar por nuestro reencuentro con un cóctel Imperial —propuso—. Son la especialidad del hotel.

—Almorcé con tu amigo Mario —me dijo, mientras esperábamos los cócteles—. Es muy simpático. Ha salido a cenar con Aziz y otros amigos.

—¿Sabes que Aziz desconfía de ti? —le dije, tal vez molesta con aquella tolerancia—. Ayer nos dijo que no estás aquí esperando a un productor de cine.

—Aziz es el tipo más embustero que he conocido en mi vida —dijo Ishwar rápidamente, siempre con una sonrisa en los labios— además del más idiota. Según dice, viene a Delhi a visitar clientes, pero jamás le he visto concertar una cita con uno sólo de ellos. ¿Qué tiene? Sólo una carpeta con fotografías. Y bien sucia, por cierto. ¿Quién puede querer comprar nada a Aziz? Pero es verdad que su padre tiene un negocio de antigüedades en Calcuta. Lo sé porque lo he visto con mis propios ojos. James y yo fuimos a visitarlo cuando estuvimos en Calcuta el año pasado. Y entonces entendimos por qué Aziz viaja tanto. Es su padre quien le hace viajar. Es un tipo avaro y muy inteligente. Es viudo, pero todavía es joven. Aziz tiene una mujer muy hermosa. Cuando tienes una mujer así, hay que tener cuidado. Pero Aziz es un pobre hombre y no se da cuenta de nada.

Los cócteles llegaron. Dejamos de hablar de Mario y de Aziz. Brindamos. El cóctel Imperial sabía a gimlet, bebida que no es en absoluto indicada para cualquier ocasión y que en aquel reencuentro resultó perfectamente apropiada. De forma que cuando terminamos los cócteles, Ishwar me invitó a tomar otro, pero esa vez en su habitación.

Su cuarto daba, aún más que el mío, la impresión de apartamento, de vivienda. Tenía dos camas, dos cómodas y un gran tocador, además de una chimenea de mármol como la de mi cuarto y tres ventanas de guillotina. Abrió una cómoda y apareció un aparato de música.

—Música sentimental india —anunció, apretando un botón.

Me asomé a una de las ventanas.

—Estás muy bien instalado —dije.

—Las ventanas dan a la piscina —dijo—. Es una habitación muy buena, es cierto. Se la dan siempre a James. La reservan para los clientes fijos. Lo de la música es cosa suya. No puede vivir sin música, sobre todo, sin óperas.

De James me habló más y algo más tarde. Entretanto, bebimos otro cóctel Imperial y no hablamos mucho, pero lo que entonces sucedió es algo que sólo nos concierne a Ishwar y a mí y todo lo que podría decir sería inadecuado o insuficiente y, además, aunque yo no haya olvidado aquel rato en la habitación de Ishwar que precedió a la conversación sobre James, fue esa conversación la que, mucho más tarde, tuvo que ser reproducida en mi memoria más de una vez para hacerla coincidir con otra versión que repentina e inesperadamente se me ofreció. Lejos de saber que yo habría de evocarla más adelante, en aquel momento de intimidad la escuché atentamente porque me interesó y desconcertó un poco, y me pregunté si no existiría alguna razón para que Ishwar me la contara.

Teníamos hambre y encargamos unos sandwiches y algo de vino al servicio de habitaciones. La voz algo ronca de Ishwar sonó más suave. Hablaba en su idioma y era una voz cómplice. Es extraño escuchar un idioma que no entiendes en absoluto. Es de suponer que dicen aquello que te han dicho que van a decir, pero pudiera ser que no. El camarero apareció al poco rato en el cuarto con nuestro pedido, que dejó sobre la mesa, y cruzó unas palabras con Ishwar. Me sonrió e inclinó la cabeza. Yo estaba en la cama de Ishwar, y llevaba puesta una camisa suya. Una clase de escena con la cual los camareros del servicio de habitaciones, sobre todo si son llamados en la madrugada, debían de estar muy familiarizados.

—Nos conocimos en Londres —dijo, mientras terminábamos la botella de vino—. Él todavía no se dedicaba a producir películas. Vivía con un chico alemán. Creo que se llamaba Klaus. Los dos eran muy aficionados a la ópera, según supe después. Eso era lo que los unía. La ópera, como ya te he dicho, es la gran pasión de James. No sé muy bien a qué se dedicaba James por entonces. Creo que sólo bebía. Los había visto alguna vez por la calle, a los dos. No miraban a la gente. Andaban sin mirar a su alrededor. Me había cruzado con ellos varias veces, pero jamás me habían mirado. Una tarde vi a James a la puerta de mi casa. Iba solo y se tambaleaba. Al fin, cayó al suelo, desvanecido. En ese mismo momento, no sé de dónde, surgió el alemán. Se acercó corriendo a James y empezó a dar gritos. Imaginé que lo había estado siguiendo.

»Yo también me acerqué. Primero, porque estaban a la puerta de mi casa y segundo, porque no me importaba ayudarlos. Podía hacerlo. Estaba estudiando medicina. Cogí la mano de James, le tomé el pulso y le dije al alemán que todo lo que había que hacer era sacarle la borrachera del cuerpo, había que bañarle, darle friegas y hacerle beber tazas de café muy caliente. El chico, que seguía hablando en alemán, se puso a llorar. Supongo que estaba verdaderamente asustado. Bueno, le dije que ésa era mi casa y que si me ayudaba a levantar a su amigo lo podíamos subir hasta mi apartamento y tratar de reanimarlo. Si no lo conseguíamos, podíamos llamar a una ambulancia y llevarlo al hospital, pero probablemente no haría falta. El chico dudó un poco, pero al fin dijo que de acuerdo. Subimos a James hasta mi piso, lo desnudamos, lo metimos en la bañera, le di friegas y lo envolvimos después en un albornoz. Al fin, James abrió los ojos y nos miró, pero aún tardó un rato en hablar. Fue después de tomar dos tazas de café bien cargado cuando, mientras paseaba los ojos por mi habitación, preguntó: «¿Se puede saber dónde estoy? ¿Cómo hemos llegado hasta aquí, Klaus?» Había algo en el tono de su voz que hacía pensar que bromeaba, que no era capaz de tomarse en serio nada. Luego se dirigió a mí. «¿Eres tú quien vive aquí?», me preguntó. Klaus, ya en inglés, le explicó lo que había pasado. «Así que pensabas enviarme al hospital», dijo James. «Si ya te encuentras bien, llamo a un taxi y volvemos a casa», dijo Klaus. Pero James volvió a pasear su mirada por el cuarto. «Me gusta este cuarto», dijo, «se está bien aquí». Me preguntó de dónde era yo y me pidió algo de comer. Freí huevos con bacon para todos. Klaus no quiso comer nada. Nos miraba silencioso. Cuando terminamos de comer, James empezó a hablar. Me contó que un tío suyo había muerto en la India, en Bombay, y que siempre había querido visitar la India para tratar de comprender por qué aquel hombre culto, rico y cínico había abandonado su país, su familia y todas las comodidades para ir a vivir en un agujero infecto, una casa de vecindad en el corazón de Bombay. Y había muerto en ese agujero infecto, enfermo y depauperado. Debía de estar bastante desesperado para hacer una cosa así, o había hecho un descubrimiento importante. Lo curioso era que nunca había demostrado el menor interés por la humanidad; no era un hombre con preocupaciones religiosas o sociales. Al menos, por lo que sabía él.

»El caso fue que James se quedó aquella noche en mi apartamento. Cerca del amanecer, Klaus se marchó. James se había tomado media docena de tazas de café y no podía dormir. Dijo que iba a intentar dejar de beber. Y lo intentó. Es algo que intenta de vez en cuando —sonrió—. Algo más tarde, alquilamos un piso más amplio y nos mudamos a vivir juntos. Vinimos a la India y empezamos con lo de las películas. Se le ocurrió a James. Dice que en ninguna parte del mundo ha visto tanta necesidad de contemplar la pantalla iluminada en la oscuridad. Debe de ser cierto. Nos va muy bien ahora. Hacemos siempre la misma película, con pequeñas variaciones. Amor y un poco de suspense. Final feliz. Bien, ésa es nuestra vida, entre Londres y la India. No es mala.

Nuestros platos estaban vacíos, quedaba muy poco vino, el cenicero estaba lleno de colillas, y dejé de preguntarme por las razones de aquella historia. A algunas personas les gusta contar episodios de su vida en la cama, algunas personas se vuelven locuaces en momentos así. Apagamos la luz, apartamos los platos y los vasos y nos deslizamos bajo las sábanas, al encuentro del sueño. Pero hace muchos años, desde que se casó mi hermana Raquel, que duermo sola, y después de escuchar durante un rato la profunda y rítmica respiración de Ishwar, concluí que la respiración de los hombres es siempre demasiado ruidosa y su facilidad para abandonarse al sueño algo irritante y poco alentadora, por lo que,

sin hacer ruido, salí de la cama y de la habitación y
me encaminé a las mías, andando de nuevo un poco
perdida y desorientada por los pasillos del hotel, ha-
bitualmente en penumbra y ahora blanqueados por
la pálida luz del alba.

4

PASÉ LA MAÑANA DURMIENDO y a primera hora de la tarde fui a la piscina, donde me encontré con el grupo de españoles. Nadé, como de costumbre, hasta sentirme agotada, ya no para cansarme más y poder dormir mejor, sino por una necesidad casi histérica de batallar, golpear el agua, y vencer mi propia resistencia. He estado a un paso de convertirme en una fanática del deporte, pero me ha faltado voluntad. No obstante, algunas veces resulto una nadadora bastante convincente.

Después de recorrer la piscina varias veces, vi, a través de las gafas, a la señora alemana en el mismo lugar en el que estaba hacía ya dos tardes y, como entonces, me estaba observando con sus indagadores ojos azules. Cuando salí del agua, había trasladado su hamaca junto a las nuestras y hablaba animadamente con mis compatriotas. Tenía una máquina de fotos en el regazo, pero esta vez no se trataba de la Polaroid sino de una Nikon. Estaba interesada en el retrato y nos pidió que posáramos para ella. Nuestras caras eran muy interesantes.

No me entusiasma que me hagan fotografías, que suelen devolverme una decepcionante imagen de mí misma que tiendo a considerar, en un súbito ataque de vanidad maltratada, un poco injusta. Pero todos aceptaron y parecía absurdo negarse.

Fuimos desfilando uno por uno ante el bordillo de la piscina.

—Por favor —decía ella—, mira al objetivo y piensa en algo bueno.

El ancho río marrón que parecía detenido a las espaldas del Taj Mahal llenó en aquel momento mi cabeza. ¿Era algo bueno?

Me duché, me arreglé y fui a hacer unas compras alrededor del hotel. Cuando volví, me encontré con un mensaje de Ishwar. James Wastley había llegado. Me esperaban, los dos, en el bar, a las ocho. No faltaba mucho para la hora de la cita y decidí encaminarme hacia el bar, mientras miraba los escaparates de las tiendas del pasillo. Entonces me crucé con la alemana, otra vez la alemana, y creo que empecé a sospechar que nos seguía, dada su persistente voluntad de unirse a nosotros. No era sólo que se pareciera a Gisela von Rotten, y que ese parecido, como todos los parecidos, resultara inquietante, era que había algo raro en su forma de mirar directamente a los ojos, como si quisiera encontrar en las personas algo de cuya existencia sólo ella estuviera enterada. Me preguntó si me dirigía al bar e insistió en invitarme a una copa. Tenía que probar el famoso cóctel Imperial. Yo ya lo había probado, aunque no le di ninguna explicación. Y, de todos modos, me dirigía al bar y necesitaba tomar algo que me animase, porque empezaba a sentirme sin fuerzas, y la perspectiva del encuentro que me aguardaba aún me debilitaba más.

Nos sentamos como viejas amigas en un rincón del bar, sobre sillones de cuero negro que, como el resto de la decoración, trataban de sugerir la idea de un pub inglés.

—Qué facilidad tienen los españoles para hacer amigos —dijo la alemana—. Llevo años viniendo a este hotel y apenas conozco a nadie. A uno de los chicos hindúes que cenaron la otra noche con ustedes lo he visto en compañía de un inglés. A ése sí lo conozco. Cené una vez con él. Es un hombre muy interesante, muy educado. Estuvimos hablando de ópera. Me gustan mucho las óperas. Siendo alemana no resulta raro, ¿verdad? —rió—. Las óperas son solemnes y grandiosas. Puro espíritu alemán. Alemán e italiano, desde luego. No hay que olvidar a los italianos, desde luego que no. Me gustan ustedes, los españoles, porque son grandiosos, pero no solemnes.

Era la típica conversación que se establece entre dos extranjeros en un lugar de tránsito. No se me ocurrió contradecirla, no sólo porque a lo mejor tenía razón, ya que todas las generalizaciones se fundamentan sobre algo cierto, sino por zanjar cuanto antes ese aburrido asunto.

—Fui muy feliz en España —siguió, ahora con cierta nostalgia—. Me encariñé con mi pupila, una niña muy difícil. Todavía nos escribimos. Siempre me dice que vaya a verla, y algún día iré. Tal vez pronto.

Parecía muy animada, aunque apenas había probado su cóctel.

—Como le dije la otra noche —siguió, tan imparable como la otra noche— tuve que abandonar España porque mi padre se puso muy enfermo. Pero lo peor fue que mi madre se negó a cuidarlo. Mi madre tenía un amigo y en aquel momento me lo dijo: que se iba con él, que no podía quedarse junto al lecho de un moribundo del que no había recibido más que reproches y exigencias. Así que yo tuve que cuidarlo. Fue muy duro. Una enfermedad lenta y fatigosa. Pero todo eso pasó —suspiró—. Cuando mi padre murió, volví a marcharme, esta vez a Oriente, a Filipinas. De allí pasé a Bombay y al fin me instalé en el Nepal. Es un lugar fantástico. Mi casa está en plena naturaleza. El día antes de venir a Delhi unos monos invadieron la cocina. Monos salvajes, muy agresivos. Tuvimos que echarlos a palos. Afortunadamente, mis sirvientes son muy valerosos. —Interrumpió su discurso y miró mi copa vacía—. ¿Quiere otro cóctel?

Mientras negaba con la cabeza vi a Mario, que me hacía un gesto de saludo desde la puerta y se dirigía hacia nosotros. Saludó a la alemana y se sentó a mi lado. La señora Holdein quiso invitarle a un cóctel. Llamó al camarero y pidió dos cócteles más.

—James Wastley ha llegado esta tarde —me dijo Mario en un susurro—. Ishwar y él te han estado buscando. Supongo que aparecerán aquí de un momento a otro.

—Lo sé —le dije—. Los estoy esperando.

—Yo también llevo todo el día buscándote —dijo Mario—. Hace un par de días que no te veo —sonrió, al cabo de la calle de mis actos.

Al fin, Ishwar y James entraron en el bar. Por lo que me habían contado de él, hubiera reconocido a James aunque hubiera entrado solo. Rondaría los cuarenta años, llevaba pantalones vaqueros muy gastados y una camisa azul de manga corta y era alto, rubio y atractivo. Se acercó hasta nosotros y me tendió la mano con cierta desgana, al tiempo que dejaba resbalar sobre mí una mirada de absoluta indiferencia. Luego golpeó ligeramente la espalda de Mario y miró a Gudrun con remota curiosidad.

—¿No nos hemos visto en alguna parte? —le preguntó, ignorándome.

—Nos encontramos el año pasado en el restaurante —repuso ella, en un tono excitado que parecía excesivo—. Éramos los únicos comensales y usted me invitó a su mesa. Pasamos un rato muy agradable. Estuvimos hablando de ópera, ¿lo recuerda usted?

Los ojos azules de la señora Holdein habían adquirido un velo de emoción y no se apartaban del rostro del inglés quien, repentinamente, perdió todo interés por ella, como si hubiera hecho ese gesto de acercamiento con el solo propósito de retirarlo en seguida. No fui yo la única en percibir el cambio. La propia señora Holdein congeló su sonrisa, bajó los ojos y dijo, entre dientes, visiblemente humillada:

—Me tengo que ir. Ha sido un placer volver a verle.

En medio de su ofuscación, me lanzó una mirada de despedida.

—Buenas noches —murmuró.

Se levantó y se dirigió al mostrador. Habló con el camarero, firmó un papel y salió del bar sin mirar atrás. Yo no quería sentir ningún tipo de solidaridad con ella porque no era el momento de aliarse, aunque fuera silenciosamente, con los débiles. Estaba claro que James era el tipo de persona que domina siempre la situación y su comportamiento con la señora alemana bien pudiera interpretarse como un aviso. Manejaba muy bien las sutilezas de los cambios de humor, los gestos fugaces, las mínimas inflexiones de la voz. Me había hecho una demostración de fuerza, de poder.

—¿Qué has hecho durante todo el día? —me preguntó Ishwar.

—Sabía que estabas en la piscina —dijo después—. Escuché el ruido del agua desde mi cuarto y pensé que eras tú quien estaba nadando. James llegó por la tarde. ¿Cómo te encuentras?

—Bien. He tomado dos cócteles Imperial. Eso ayuda.

Lamenté mis palabras, que podían interpretarse

como una recriminación, y opté por permanecer discretamente callada hasta no ver más claro mi margen de maniobra. El brazo de Ishwar rozaba el mío.

—James quiere que vayamos a cenar todos juntos. Pero todavía no le he dicho nada. ¿Qué es lo que quieres hacer tú?

El espectáculo de una mujer ofendida es casi siempre lamentable. Traté de pensar, con el sabor del gimlet entre mis labios, que tan apropiado me había parecido la noche anterior, que no había razones sustanciales para cultivar sentimientos de ofensa.

—De acuerdo —dije.

Ante mi asentimiento, Ishwar sonrió. Hubiera sonreído ante cualquier circunstancia. Era un hábito que no podía evitar. Sus dedos resbalaron sobre mi brazo.

James no nos miraba. Tenía un gesto de cansancio, pero escuchaba a Mario con concentración y con algo de esfuerzo, como si quisiera demostrar que era capaz de poner buena voluntad en las nuevas amistades de su amigo. Mario parecía encontrarse perfectamente tranquilo y desde luego ajeno a la más insignificante suspicacia. Fue él quien, al fin, decidió que teníamos que ir a cenar. Disfrutaba ejerciendo de jefe del grupo, sin comprender que su presencia no era imprescindible para nadie. Pero, a decir verdad, tal vez por eso resultaba tan necesaria, al ser el único que no tenía ningún motivo para poner en cuestión su papel.

A la salida del hotel, me cogió del brazo y se dirigió a uno de los «mosquitos», esos vehículos de tres ruedas que se precipitaban por las calles de Delhi.

—Os seguiremos —dijo.

—No es tan fácil seguir a un cacharro de éstos —dijo James—. Le explicaré al chófer adónde tiene que ir.

Habló con el conductor y subió con Ishwar a otro «mosquito». Aquella distribución, de la que Mario era responsable, me molestó. Nuevamente empeñado en separarme de Ishwar, ahora tenía un nuevo y más fuerte aliado. Fue, de todos modos, un trayecto corto, pero tan ruidoso y tan movido como el que había recorrido siendo Ishwar mi acompañante y mi guía hacía un par de noches. Y hacía el mismo calor, y el mismo calor que la noche de nuestra llegada, cuando Mario y yo atravesamos Delhi en un taxi, silenciosos y cansados, mientras yo pensaba que algo me esperaba en esa ciudad oscura y sofocante.

Ishwar y James habían llegado antes que nosotros. Los vi en seguida, hablando y riéndose. Me senté junto a Ishwar e inmediatamente su rodilla buscó la mía debajo de la mesa. De vez en cuando, su mano se deslizaba por mi pierna. Sólo nos iluminaba la luz de las velas. James no había superado su gesto de desgana, de remoto fastidio. A la luz de las velas, su rostro aún parecía más anguloso, y hasta un poco teatral. Era el rostro de alguien empeñado en mostrar que ha perdido las ilusiones y que se siente casi orgulloso de la pérdida, como si la hubiera alcanzado en una empresa personal y heroica. Su boca se curvaba en una sonrisa levemente despectiva y con ella nos contemplaba, desde arriba, refugiado en un humor que tal vez se dignaría compartir con algún privilegiado mortal.

Mario le sometió a un interrogatorio, repentinamente muy interesado en la producción de películas y los gustos de la audiencia.

—¿Cuál es el esquema que sigues en tus películas? —preguntó.

—¿El esquema? —preguntó, a su vez, James, y por primera vez volvió la cabeza hacia Mario, examinándolo de arriba abajo—. ¿Qué quieres decir?

El guionista sabe con qué elementos hay que jugar. Lo único que le digo siempre es que la película debe resultar grandiosa como una ópera. Solamente eso.

No lo decía en serio. Las películas baratas que producía no podían ser grandiosas. Según me había contado Ishwar, había ido a la India en busca de las huellas de un tío suyo, pero la juventud se le estaba acabando y con ella el deseo o las energías de seguir persiguiendo sombras. Ahora se dedicaba a hacer dinero fácil. Intuí que no soportaba la condescendencia y aún menos el interés que suscitaba en quienes no le interesaban en absoluto.

—No me gusta la ópera —declaró Mario—. Nunca he entendido cómo puede nadie soportar a esos personajes que se pasean por el escenario pregonando a gritos sus sentimientos. Es totalmente ridículo.

James no se dignó esta vez dirigir la mirada hacia Mario. Clavó sus ojos en mí y dijo:

—Hay dos formas de aficionarse a la ópera. Ver *Norma* en la Scala de Milán o ver la película *Fitzcarraldo*. Alguna vez haré una película como *Fitzcarraldo*.

La frase sonó como una sentencia, rodeada de silencio y humo. Cuando una persona como James decide hablar y mirar sin ironía, lo hace. Por unos instantes, sus ojos me atravesaron y, a mi pesar, me estremecieron. La mano de Ishwar acariciaba mi rodilla y supe que James lo sabía y que su mirada anulaba, también, esa caricia, porque se imponía sobre ella y la vencía.

—¿Dónde está ese pobre diablo de Aziz? —preguntó inmediatamente James, sin transición—. Me hubiera gustado verle.

Ishwar se echó a reír, por el brusco giro de la

conversación o por complicidad con los apelativos que James había dedicado a Aziz.

Estaba lo suficientemente cansada aquella noche como para poder dormirme con facilidad. De vuelta al hotel, apenas pensé en Ishwar ni en James ni en el juego, cualquiera que fuese, que los unía, y me alegré de estar sola en mi cuarto.

Ishwar apareció por la mañana. Se iba a Calcuta a la hora de comer. Desayunamos juntos en la cama.

—¿Vendrás a verme a Londres? —me preguntó.

Le dije que sí.

Cuando se fue de mi habitación, todavía esperé un rato. No quería encontrármelo, ni a él ni a James, por los pasillos del hotel. Finalmente, me puse el traje de baño y fui a la piscina.

Ángela, sobre una tumbona, me saludó. La alemana apareció poco después, para corroborar mis impresiones de que me estaba siguiendo, pero en aquel momento no le di mucha importancia. Y por lo que yo sabía, a esa hora ella estaba siempre en la piscina. Encargamos algo de almuerzo y nos quedamos allí hasta media tarde. La pareja de españoles se había marchado por la mañana. El hotel se había quedado repentinamente vacío y yo me sentía triste. Sabía que todo lo que pudiera suceder en Londres, si es que yo mantenía mi palabra y visitaba a Ishwar, sería radicalmente distinto de lo que había sucedido en Delhi y sabía que no debía intentar repetir la historia, que en realidad parecía bastante cerrada. La aparición de James la había convertido en una historia casi clandestina y aunque Ishwar y James no se hubieran marchado a Calcuta y yo hubiera tenido la oportunidad de continuar la aventura, era más que posible que ésta hubiera finalizado, no sólo por no establecer una batalla con James o por el miedo a perderla, sino porque la parte más interesante de la historia se había cumplido ya: el acercamiento, la aproximación hacia lo que recurriendo a un eufemismo puede llamarse punto culminante, los preámbulos, la preparación, a distancia, todavía, de esa hipotética culminación o satisfacción, bastante relativa y muchas veces decepcionante cuando al fin es alcanzada, pero a la que debe tenderse porque, si no se obtiene, todo lo que la ha precedido se disuelve súbitamente en rencor, inseguridad y fastidio, estupenda materia para el olvido. Lo que hace que la aproximación quede en nuestro recuerdo como la mejor y más rica etapa de las relaciones es, precisamente, la llegada a la meta. Lo que había hecho que mi relación o aventura o lío con Fernando durara tanto había sido la sensación de partir siempre de cero. Con él, yo estaba siempre a la espera de la aproximación y del preámbulo, simbolizada, reducida, a esa constante espera de su llamada. En cambio, para él no había preámbulo, sólo metas. Sabía muy bien lo que quería de mí y que lo obtendría con cierta facilidad. Esa desigualdad me obsesionaba, convertía en un reto cada encuentro con él e iba añadiendo dosis de decepción en cada despedida. Con Ishwar todo había ido discurriendo al mismo tiempo, nos habíamos instalado en el mismo ritmo, habíamos disfrutado confiadamente en preámbulos y metas y podíamos despedirnos con satisfacción, aunque con dolor, con pena, con nostalgia.

Nadé sin fuerzas, con desgana, sabiendo que desde la habitación vacía de Ishwar nadie escucharía el ruido del agua, nadie me echaría de menos.

—Qué bien nadas —dijo la señora Holdein cuando volví junto a las hamacas—. Me hubiera gustado sacarte una foto. Pero para eso hace falta una cámara de cine o de vídeo.

Evidentemente, no tenía esas cámaras, y me alegré. Nunca me he visto en movimiento en una pantalla y presiento que eso aún me desilusionaría más que las fotos.

El día de nuestra partida bajamos muy temprano a cenar al restaurante. Había más gente que de costumbre alrededor de las mesas, seguramente porque era una hora más adecuada. La orquesta tocaba canciones mexicanas, tal vez porque alguien se las había pedido, tal vez porque eran parte de su repertorio, pero que, en todo caso, servían para ponernos más melancólicos. El viaje concluía, y concluían, también, o al menos eso creía yo en aquel momento, las historias breves, insignificantes o fugaces que se desarrollan en los viajes. A veces, la certeza de que lo que acabas de vivir será tragado por el tiempo se convierte en una sensación insoportable. Los mejores recuerdos no son los que dejan los instantes más felices. Por lo contrario, los instantes felices acaban siendo los peores recuerdos que puedes tener porque no se soporta la intensidad perdida. Esas paradojas hubieran sido del gusto de Mario, pero renuncié a una conversación profunda sobre los equilibrios aparentes y las simetrías esenciales. No me sentía muy comunicativa aquella noche.

Nuestro vuelo tenía retraso y pasamos mucho rato en el aeropuerto, rodeados de gente de aspecto cansado y algunas personas dormidas, y muchos bultos y maletas por el suelo, y muchas colillas y papeles sucios y arrugados alrededor de nuestros pies. Mario

71

se tumbó sobre tres butacas vacías y se quedó dormido.

Al fin, pudimos subir al avión. Mientras despegaba, sentí un nudo en la garganta. Lo que me esperaba a mi regreso a casa no me llenaba de dicha. No podía pensar en ello; sólo en lo que dejaba atrás, lamentando, desde ese momento, que fuera quedando cada vez más lejos.

5

DURANTE MUCHO TIEMPO, no pasó nada. Nada que tuviera que ver con aquel viaje. Yo ya sabía que el viaje se iba a desvanecer en el momento mismo en que terminara, ese momento que tal vez pueda fijarse cuando se deja la maleta sobre la cama de la habitación, en medio de las cosas, los olores y los ruidos conocidos. Ésa era la colcha color crema de mi cama, y mi armario esperaba acoger mi ropa en sus estantes y sus perchas, sobre la mesilla quedarían los libros, los billetes ya aprovechados, las guías y los folletos inútiles que algún día tiraría a la basura; y la otra mesa, y la superficie de la cómoda y desde luego la colcha de la cama, se irían cubriendo, en cuanto me decidiese a deshacer la maleta, de regalos y objetos difíciles de clasificar. ¿Dónde guardar las pulseras para Raquel, la caja-costurero de mi madre, la máquina de fotos de mi padre, el bolso de Juana? Buscar un sitio para todo eso me deprimía, porque las tiendas donde habían sido comprados esos objetos y otros muchos que todavía no tenían un destinatario claro estaban incongruentemente lejos y esa distancia no nos favorecía, ni a mí, su dueña actual, ni a ellos. Arrancados de su entorno, resultaban pobres y, aunque llenaran las superficies planas de mi cuarto, eran escasos. Escasísimos. Hubiera debido comprar más pulseras, más bolsos, más cajas de madera con incrustaciones de metal, más máquinas de fotos, más blusas de algodón. Muchas más cosas. Había sido mezquina y ahora era tarde para lamentarse, porque ya no se podía volver. Aquellas tiendas en las que había dudado tanto, contemplando y sosteniendo, sopesando y considerando, y de las que había al fin salido con tan pocas cosas, estaban en el otro confín del mundo.

Previendo ese desánimo, estuve mucho tiempo con la maleta bien cerrada sobre la cama. Como el genio de la botella del cuento, el maleficio, al abrir la cerradura, equivalente al tapón de corcho de la botella, se extendería, pudiendo envenenar el aire de la casa, en una nueva versión de la fábula. Contemplé, al fin, ese desparramamiento, ese derramarse de los objetos en mi cuarto. Y rupias, yenes y dólares ensuciando la colcha. Ése era el resto, lo que traía del viaje, ya inservible, y guardaría en una caja de la que nunca volvería a acordarme.

Repartidos los regalos, llegado ese vestigio del viaje a las personas conocidas y amigas, el viaje, como estaba previsto, dejó de existir, desapareció. Los olores sofocantes de la noche India, el traqueteo del taxi por las calles oscurecidas de Delhi, el ruido del agua en la piscina, el suave tacto de la camisa de Ishwar, el aún más suave tacto de su piel, todo se esfumó. La India estaba lejos para mí, tan lejos como para los viajeros que, instalados para siempre en el hotel, en el corazón de Delhi, habían construido sus vidas de espaldas a la realidad que los rodeaba. Ni para ellos ni para mí la India existía.

El resto del viaje, el tifón de Hong Kong y mi bolso recuperado, el jardín Zen del Templo de las Cien Lunas y los bares de la estrecha calle de Kyoto, al otro lado del canal, eran el telón de fondo de ese mágico aunque previsto devanecimiento. El escenario estaba vacío. Sobre las tablas sucias de madera vieja que hace tiempo se renunció a limpiar, no había nada. Ni actores ni focos. El hueco era lo que quedaba, sostenido por otros recuerdos.

En el aeropuerto de Barajas, después de una larga noche dentro del avión, sin poder dormir, ni comer, ni, sobre todo, volver hacia atrás, me separé de Mario. Hubiéramos podido compartir el taxi hasta su casa, aunque desviándonos un poco de la ruta adecuada, pero no le dejé opción. Actué con todo el egoísmo de que una persona agotada y un poco dolorida es capaz y pedí prioridad en la cola de los taxis. No deja de ser extraño que las cosas acaben así. Que una convivencia estrecha a lo largo de varios días, sobrellevada, y bastante bien, por diferentes países, finalice abruptamente en la cola de los taxis del aeropuerto. Allí dije adiós a Mario, sin pensarlo ni lamentarlo, sin decirme que no lo volvería a ver ni decirle a él, aun menos, que nos llamaríamos al día siguiente, cuando, más descansados, volviéramos a tener ganas de vernos. Porque ni nos habíamos enfadado y, por tanto, no había por qué separarse a la desesperada, ni habíamos roto los límites de nuestra recíproca desconfianza. La intimidad, entre nosotros, era algo que se desarrollaba en un espacio más bien abstracto, aunque tenía contrapartidas muy concretas. Lo fundamental era que nos llevábamos bien. Éramos, los dos, muy formalistas. Íntimamente desordenados, caóticos, unas veces escépticos, otras desesperanzados, rabiosos y apasionados, nos refugiábamos en la misma clase de convenciones. Y sabíamos que eso era lo que nos unía, aunque en seguida podíamos encontrar otros términos más importantes en los que medirnos. Estábamos de acuerdo en muchas cosas, esas cosas imprecisas que determinan la buena relación entre las personas y que en el fondo son reflejo o expresión de las otras, menos trascendentes y más concretas, en las que sin duda coincidíamos: llegar pronto al aeropuerto, hacer amistad con desconocidos, preferir los buenos hoteles a las buenas compras, en el caso de que ambas cosas no pudieran hacerse, los buenos vinos a las buenas comidas, en idéntica y molesta situación.

No llamé, como lo supe en el mismo instante en que me separé de él, a Mario al día siguiente de nuestro regreso. Ni él me llamó a mí. Todo lo que nos unía no era, en ese momento, suficiente. Se había producido algún tipo, impreciso, de deterioro y, a veces, la única solución es dejar pasar el tiempo. Que él se encargue de hacer lo que los hombres por sí solos no pueden. Borra el recuerdo, produce nuevas necesidades; transforma el recuerdo.

Mis padres llegaron de El Arenal descansados y felices. Se habían emancipado de la tutela de Gisela y se sentían, con toda seguridad equivocadamente, capaces de resolver cualquier problema. Empezaban a preguntarse si no deberían trasladarse a vivir allí, si esos días de verano no podrían prolongarse y ampliarse, ya que les daban tantas satisfacciones. Lo único que, aparentemente, retenía a mi padre en Madrid eran sus tertulias en el Casino. Sus puntos de vista tenían que ser silenciados o modificados en El Arenal, porque mi padre no era nacionalista. Le exasperaban los nacionalismos. En El Arenal tenía que mostrarse cauto y conciliador. En el Casino se explayaba. Trasladarse a vivir a la periferia era casi como renegar del centro y de sus ideas políticas. Y, sobre estas razones ideológicas, estaba yo. No me querían dejar sola.

—No te dejaremos sola —decía mi madre siempre, poniendo punto final a las fantasías u objeciones de mi padre.

Resultaba bastante asombroso, hasta un poco cómico, que mi madre pensara que eran ellos quienes me estaban cuidando. Desde hacía años, se creían que seguían desempeñando el papel de padres, como si fuera el único o el mejor papel de sus vidas, y se habían aferrado a él y lo defendían de posibles ataques, frunciendo el ceño y sacando una voz un poco autoritaria, no se fueran a poner en cuestión ciertas cosas. Al final, las razones de su imposible traslado a El Arenal eran otras. No se sentían con fuerzas para ese traslado, pero querían hablar de ello para hacerse la ilusión de que eran todavía personas decididas y fuertes, capaces de emprender una nueva vida, de replantear su rutina y sacar partido a la existencia en plena madurez, por eludir la palabra vejez. Pero poco a poco, conforme avanzara el otoño y nos adentráramos en el invierno, toda esa necesidad de cambio se iría desvaneciendo; no quedaría sino el recuerdo, congelado, hasta el mes de julio, pero de nuevo limitado al verano, sin ampliaciones ni complicaciones. Alguna otra vez habían hablado de ello y posiblemente cada año hablarían más, para luego callarse y pasar las tardes mirando la televisión, donde yo los encontraba a mi regreso a casa, cada noche, frente a la bandeja con los restos de la cena, envueltos en una atmósfera de miedo, impotencia y tristeza, porque su vida, como todas las vidas, se acababa. Las lámparas encendidas arrojaban una luz cálida sobre la decoración tan querida de mi madre, sus cuadros, sus plantas, sus fotografías, su colección de cajas y de cucharillas de plata, y por la ventana todavía se veía el cielo gris, durante mucho tiempo gris antes de volverse negro e invisible. ¿Qué era lo que los entristecía?, ¿su vida, la mía o la vida en general? Por un leve instante, mientras me saludaban en mi cotidiano regreso nocturno, toda preocupación se borraba y una sensación de alivio, que incluso me transmitían a mí, recorría el aire de la casa.

Algo de nuevo había, de todos modos, en aquel otoño. Fernando había desaparecido de mi vida, y todas las llamadas, las esperas, las citas, las anulaciones de las citas, la tensión del permanente e inestable lazo que él me tendía y al que yo me asía con una obsesión insana, habían desaparecido del panorama y sólo de vez en cuando, alguna aburrida tarde de domingo, se me ocurría echarlas mínimamente de menos. No por ellas. Por la emoción.

Gisela volvió a nuestras vidas, se mezcló con ellas como si nunca se hubiera separado de nosotros y confesó a mis padres que estaba cansada y que las batallas que venía librando durante años no eran excesivamente importantes ni habían conseguido resolver los problemas de fondo de su vida. Su confesión no fue así de explícita; únicamente era explícito su cansancio, que no quería analizar, y que dejaba constancia de su vencimiento. Un día la encontré llorando. Mi padre había salido o se había retrasado, seguramente enzarzado en una conversación apasionada sobre los nacionalismos en su tertulia del Casino, sin duda llevando él la voz cantante, cosa de la que tenía ya pocas oportunidades y que reservaba a ese delicado asunto en el que tenía las ideas especialmente claras.

El caso era que Gisela y mi madre, solas y abatidas, y también a sus anchas, se habían olvidado de encender las luces, y el cielo, que todavía era gris al otro lado de la ventana, dominaba los colores del cuarto de estar, donde ya no se veían los cuadros de jardines románticos de marcos dorados y viejos que tanto gustaban a mi madre porque pensaba que enaltecían el salón y que eran una prueba de buen gusto, ni los cuadros, más visibles y menos umbrosos, de las niñas rubias de los ojos y los trajes azules y los encajes alrededor del cuello, que a ella le gustaban y sobre los que no quería discutir, porque, según decía, ella había sido como una de esas niñas, cosa que ni Raquel ni yo, con nuestros pelos oscuros —el mío indefinido, pero el de Raquel francamente negro— y nuestros ojos marrones, habíamos tenido la suerte de heredar. Para ella eso era indiscutible. La única belleza posible era la de las mujeres y hombres rubios. Ella y su hermano Jorge, para qué íbamos a darle vueltas. Teníamos muchas fotos de ellos, muchas más que de nosotras, de Raquel o mías, o de las dos juntas, más escasas todavía, dada la diferencia de edad. Alguna vez pensé que, durante los nueve meses en los que me llevó dentro de su ser, tuvo que recrearse con la idea de que aquella segunda oportunidad que al fin venía, hijo o hija, la compensaría de la oscuridad de mi hermana Raquel, negra de pelo y de piel, como mi padre. No la compensé, ciertamente, aunque suavizara un poco los tonos. En fin, las niñas rubias de los cuadros, su punto de referencia en cuanto a belleza infantil, convencionales y cursis, nos habían amargado un poco la infancia. Levemente, porque nos permitíamos burlarnos de ellas con la complicidad de mi padre. Desaparecían de vez en cuando, cuando se pintaba la casa o se cambiaban de marco o de sitio, porque habían recorrido ya todas las paredes del cuarto. Mi padre decía: «¿Y las niñas, dónde están las niñas rubias?» «Las tengo en el armario, bien guardadas», decía mi madre, como si se tratase de un magnífico tesoro. Y en una ocasión las perdió. Fueron tragadas por todas las cosas que mi madre guardaba en el armario, sobre todo, bolsas de ropa que no se usaba y que ella no se decidía a tirar. Aparecieron al fin, al cabo de varios meses. Mi madre limpió los marcos con alcohol, pero las miraba con estupor: hubiera dicho que ésta miraba hacia el otro lado, y que se apoyaba en un árbol y que el lazo del escote era de color lila. La desilusionaron, o tal vez pensó que, al haber desaparecido y haber vivido por su cuenta, enterradas, pero no a su vista, durante algunos meses, no eran las mismas. En cambio, a mí, repentinamente, me gustaron. Ni eran tan rubias, ni tan cursis, ni en realidad tan niñas. Miraban, aburridas, al infinito, llenas de lazos y almidones, pero parecían dispuestas a dar la espantada.

En aquella penumbra en la que no se distinguían ni los jardines románticos ni las niñas rubias, ni las fotos de infancia de mi madre y de su hermano, o las nuestras, ni las cajas de madera ni las cucharillas de plata o los ceniceros que mi padre había ido trayendo de los hoteles en los tiempos en los que viajaba, sólo resaltaban las caras, pálidas, de Gisela y de mi madre. Ninguna de las dos era aficionada a brebajes o bebidas —mi madre, por pura pereza y falta de recursos; Gisela, por ascetismo o constitución—: ni tés, ni cafés, ni vinos ni licores, por lo que no había tazas ni vasos sobre la mesa camilla.

—No, por favor, no enciendas la luz —pidió mi madre, cuando hice girar el interruptor.

—Son las nueve —le dije—. No se ve absolutamente nada.

—No pueden ser las nueve. Acabamos de comer.

—Pueden ser las nueve —dijo Gisela, y miró su reloj—. Se nos ha pasado el tiempo sin darnos cuenta.

Pero ninguna de las dos se movió. Me senté con ellas hasta que Gisela decidió marcharse, lo que aún le llevó un rato.

—No es la misma —me dijo mi madre después—. No sé si te has dado cuenta, pero no es la misma. Este verano lo ha pasado muy mal, ha vivido pendiente del hijo de sus amigos. Parece que el chico está bastante recuperado, pero ella está muy desanimada.

Aquella noche Gisela me llamó.

—No sé si te apetecerá venir conmigo —dijo, un poco dubitativa—, pero tengo entradas para la ópera. Es una compañía alemana, buenísima. Fuera de programación. Ponen *Norma*. Sólo dos noches. Tengo entradas para el sábado.

—¿*Norma*? —me cercioré.

—Eso es.

Mi viaje, enterrado, se agitó en las profundidades de mi conciencia. La frase de James Wastley había sido más o menos ésa: hay dos formas de aficionarse a la ópera. O ver *Norma* en la Scala de Milán, o ver la película *Fitzcarraldo*. Tal y como la había pronunciado, no había podido olvidarla. Mientras aceptaba la invitación de Gisela, me dije que esos pequeños indicios, la sola representación de *Norma* en Madrid y el que yo fuera a verla, demostraban, aunque remotamente, por de pronto, la continuidad de la vida. Vi en ello una señal y, aunque nunca había ido al cine, ni al teatro, y menos a la ópera, en compañía de Gisela, y la idea no era en sí misma excelente ni alentadora, suponía un elemento de sorpresa, de azar, que me sacaba de la monotonía, el vacío y los desterrados recuerdos.

La invitación de Gisela ofendió un poco a mi madre.

—Ella sabe cuánto me gusta salir y las pocas oportunidades que tengo de hacerlo —murmuró.

Mi padre aborrecía los espectáculos de todas clases. Sólo le gustaba conversar en un ambiente de hombres, tabaco y cafés.

El sábado por la tarde, mientras me arreglaba para ir a la ópera, sonó el teléfono. Lo descolgó mi madre y vino en seguida a mi cuarto.

—Es Gisela —dijo—. No puede ir a la ópera, pero dice que te va a dejar la entrada a la puerta del teatro. Ponte al teléfono. Es mejor que hables con ella.

—No puedo ir, ya te lo habrá dicho tu madre —me dijo—. Fíjate qué fastidio —era una palabra que me sonó extraña pronunciada por ella, que tenía un lenguaje tan comedido. Incluso eso era mucho para ella—, pero te voy a hacer llegar la entrada. Le he dado la otra a un vecino mío, muy aficionado a la ópera. Le dejará tu entrada al portero. Espero que disfrutes.

Mi madre aún se ofendió más.

—Podíamos haber ido juntas tú y yo —dijo—. Gisela es muy generosa con sus amigos, pero no tiene un solo detalle conmigo. Como nunca me quejo, debe de pensar que no hay que ocuparse de mí. Sólo le interesan las personas muy desgraciadas. Hace años que no voy a la ópera. ¿Sabes cuándo fue la última vez que fui? Cuando el tío Jorge vino a vernos, hace casi cinco años.

Había muchas cosas que se le podían contestar a mi madre. En primer lugar, no era cierto que no se quejara. Lo que ocurría era que se quejaba tan continuamente y de las cosas más insignificantes y cotidianas, que uno dejaba de oírla. Sus quejas carecían de dramatismo, porque no esperaba que nadie fuera a solucionarlas ni a atenderlas; se alzaban sobre la idea de que eran irresolubles. Eran abstracciones y generalizaciones, y nadie en su sano juicio hubiera entrado en una discusión para convencerla de que las cosas no eran tan negras. En segundo lugar —por ponerle un lugar, tanto da en realidad si en segundo o en primero—, si tanto le gustaba salir, ¿por qué no salía? Podía ella proponerle planes a Gisela, cines, teatros, óperas y comedias musicales. Nadie se lo impedía. Pero se había ido volviendo cada vez más perezosa y no quería tomar ninguna iniciativa. Prefería dejarse llevar o negarse. Y no era cierto, ya no le gustaba salir. Guardaba su reserva de energías para El Arenal. Madrid era una ciudad demasiado grande y demasiado incómoda para pensar en salir y tener que desplazarse por ella. En Madrid se contentaba con sus recados del barrio: la farmacia, el mercado, el tinte, el zapatero; y todos esos recados, que llenaban sus mañanas, la dejaban exhausta y justificada para dejar pasar las tardes inmovilizada tras la mesa camilla. Y, sin duda, le gustaban, porque era su vida de Madrid que añoraría de trasladarse a vivir a El Arenal, y la venía haciendo desde hacía muchos años y conocía la vida de todas esas personas —el farmacéutico, el carnicero, la mujer del puesto de verduras, la chica del tinte, el panadero—, aunque no se sabía todos los nombres, sólo algunos, no necesariamente los más cortos, y hablaba un rato con ellos, intercambiando opiniones de todas las clases, desde los pequeños avatares cotidianos hasta el partido que convendría votar en las próximas elecciones, información que interesa mucho a mi madre y que poseía siempre. Si hay alguien que sabe adónde va el voto del panadero, esa persona es mi madre.

En lo único en lo que había sido sincera al quejarse de que Gisela no la hubiera invitado a ir a la ópera con ella, era en aquel atisbo de nostalgia que había lanzado al aire al rememorar la última y ya lejana visita de su hermano.

El tío Jorge, el único hermano de mi madre, y hermano menor, tan rubio como las niñas rubias de los cuadros ovalados, se había casado tarde, por lo que su presencia entre nosotros había sido casi constante. Comía en casa con frecuencia y aparecía a las horas más intempestivas con una de sus novias, para que mi madre las conociera y les sacara defectos. Tenía un aire inglés, por su físico un poco desvaído pero muy correcto, por la forma en que se vestía, y por un eterno aspecto de estar siempre pensando en otra cosa, lo que a nosotros nos parecía patrimonio de los ingleses. Sus zapatos y sus gemelos relucían. Tenía, como mi madre, puesto que se las regalaba él, billeteras de cocodrilo, tan relucientes como los zapatos y los gemelos. Sacaba de ellas un par de billetes de cien pesetas, los más limpios y almidonados que vi jamás, y nos los daba, creándonos un problema, porque parecía un sacrilegio gastarse ese dinero inmaculado. Cuando, después de haber traído a casa a la última novia, volvía él solo, se sentaba frente a la mesa camilla, junto a mi madre, y dejaba que ella enumerara, uno a uno y sin piedad, los defectos de la última candidata. Eran, todas ellas, mujeres esplendorosas, altas y magníficas.

Al fin, el tío Jorge se había casado y se había ido a vivir a Barcelona. Sofía tenía por lo menos veinte años menos que él y se pasaba el día jugando al bingo o tomando gin-tonics, aunque es de suponer que lo primero no excluía lo segundo. Lo que es seguro es que mientras estaba entre nosotros, las pocas veces que accedía a visitarnos, tomaba gin-tonics y no jugaba al bingo. Y cuantas veces mi madre hablaba con su hermano, él decía: «Sofía no está en casa, está en el bingo.» Era tan esplendorosa y alta como habían sido todas las novias del tío Jorge, pero mi madre no le puso ningún defecto porque debió de saber desde el principio que aquella mujer iba a ser la cruz que le había tocado en suerte a su hermano. Posiblemente, lo supo en el instante en que el tío Jorge le comunicó, antes de casarse con Sofía, que ella tenía un hijo. Sabíamos muy poco de aquel hijo, porque siempre había vivido en el pueblo de donde era Sofía, en casa de una mujer que había sido su nodriza. Los padres de Sofía, si existían, debían de llevarse mal con ella, porque nunca se los mencionaba. A mi madre todo le parecía mal: que hubiera tenido el hijo de soltera, que su hermano se hubiera casado con ella, y que el niño siguiera en el pueblo, ahora que tenía una familia. Pero, ciertamente, ese niño no tenía una familia. Si la afición de su madre natural era el bingo y los gin-tonics, la de su nuevo padre era no hacer nada, no tener responsabilidades, trabajar lo menos posible, tomar vermuts con los amigos, calzar relucientes zapatos, estrenar billeteras de cocodrilo.

En la puerta del teatro pregunté por mi entrada. Estaba metida en un sobre en el que estaba escrito mi nombre. Sorprende ver tu nombre escrito en un lugar donde no te conocen de nada. Es lógico, porque es totalmente previsible, encontrar tu nombre escrito en un sobre que sacas de tu buzón, o que encuentras sobre la mesa de la oficina, pero que en un lugar público te den un sobre con tu nombre escrito es una incoherencia que desconcierta un poco. Miré aquella letra: redondeada y perfecta. No muy sugerente, en todo caso. Sin saber nada de grafología, se podía presumir que la persona que había escrito mi nombre tenía las cosas medianamente claras, pocas fisuras en su sistema de valores, poca capacidad para la sorpresa. Y no había subrayado mi nombre. Cuando escribo la dirección en una carta, siempre subrayo el nombre de la ciudad, o del país, si es que la envío al extranjero. Cuando dejo un recado a alguien y sólo escribo su nombre en el sobre, lo subrayo. No está demostrado que esa raya bajo los nombres sea en sí misma buena o mala, pero el hecho de que mi nombre no estuviera subrayado me pareció una mala señal, un signo de egocentrismo.

Me sentía dispuesta a ignorar al propietario de esa letra, y avancé por el patio de butacas, detrás del acomodador, en busca de mi sitio. En seguida vi que la butaca de al lado estaba ocupada y, mientras me dirigía hacia ella, en el lento trayecto dentro ya de la fila, el hombre que la ocupaba se levantó y me esperó allí, de pie, observando mis movimientos, que consistían en esquivar los pies de quienes ya estaban acomodados en su butaca y no quisieron levantarse para facilitarme el paso.

—Eres Aurora, ¿verdad? —me preguntó, cuando llegué a su lado—. Tu tía te ha descrito muy bien. Soy Alberto Villaró —y me tendió la mano.

—No es mi tía —contesté rápidamente, mientras estrechaba su mano y le observaba y trataba de dejar a un lado mis conclusiones grafológicas de aficionada, dado que aquel hombre era atractivo y parecía deseoso de agradarme.

Me ayudó a quitarme la chaqueta, me cogió el programa, que estuvo a punto de deslizarse al suelo mientras me sentaba, lo sostuvo y me lo devolvió con gestos tan educados, tan inequívocamente amables, que resultaba absurdo mantener mis apresurados, apriorísticos y sin duda torpes juicios a los que me había conducido la sola lectura de dos palabras escritas de su letra. Aunque fuese mi nombre.

Le di las gracias por haberme dejado la entrada a la puerta.

—Era lo mínimo que podía hacer —dijo—. ¿Quieres creer que llevo un par de días intentando conseguir una entrada para venir a ver *Norma*? Y hoy, justo cuando regreso a casa a eso de las cinco, lo que es una hora muy rara para mí, pero salí a comer y se me hizo tarde y decidí pasar por casa, pues bien, me encuentro con Gisela en el portal y mientras esperábamos a que bajara el ascensor empezamos a hablar de esas cosas que siempre se hablan entre los vecinos, cómo está la familia, cuándo empieza la calefacción, si habría que pintar el portal y, no sé cómo, salió lo de la ópera. Me dijo que le habían regalado dos entradas y que estaba muy ilusionada porque hacía tiempo que no iba a la ópera y porque era una función excepcional. Demasiado bien lo sabía yo, que llevaba dos días detrás de una entrada. No había transcurrido ni una hora cuando me llamó. De hecho, yo estaba a punto de salir de casa. Me dijo que le había surgido un imprevisto y que no podía, que si quería me daba su entrada. No me podía dar las dos, porque una ya la tenía comprometida. Es más, ¿podía hacerle un favor: dejar la entrada a la puerta, a tu nombre? Una cadena de casualidades —concluyó.

Alberto Villaró, vecino de Gisela, me miró, victorioso y satisfecho. Estábamos allí, hundiéndonos poco a poco en la oscuridad, rodeados de gente que se fue quedando callada, envueltos en oleadas de perfumes y leves, reprimidos, sordos ruidos de toses y papeles, porque el destino, el azar, lo había dispuesto así. Yo pensé en James Wastley y en su pomposa frase sobre *Norma*. Una forma de aficionarse a la ópera. Aunque no estábamos en la Scala de Milán, era *Norma*. Aquello no podía llamarse una casualidad, sólo un recuerdo. Lo sentí resucitar, junto con el recuerdo del rumor, el olor, el tacto, el sabor de Ishwar.

Mientras, obedeciendo al desordenado argumento de *Norma*, los actores iban y venían por el escenario, deteniéndose, declamando, clamando, recitando, llorando y pidiendo, mi imaginación avanzó hacia un nuevo encuentro con Ishwar, porque a la imaginación no le gusta retroceder sino adelantarse, inventar. Lo pasado, pasado, y no cuenta; sólo sirve de punto de apoyo.

El fin del primer acto acabó con mis ensoñaciones. El vecino de Gisela y en aquel preciso momento vecino mío, muy solícitamente, y muy satisfecho porque la función colmaba sus apetencias de buen aficionado a la ópera, de espectador entendido, me propuso salir al vestíbulo, donde fumamos un cigarrillo y elogiamos la representación, tal y como hacía todo el mundo a nuestro alrededor.

En el segundo entreacto, Alberto Villaró quiso salir a la calle en busca de un bar cercano porque quería tomar algo y el bar del teatro estaba lleno de gente. Tomamos una cerveza y un sólido pincho de bonito escabechado en un bar vacío, sucio e iluminado de forma cegadora, con luces de neón. Pero él lo debió de considerar el lugar apropiado para hacer de sí mismo una presentación más íntima que la meramente formal con que me había recibido en el patio de butacas. Me dijo que era radical y egocéntrico, y tuve que volver a considerar que mis cualidades como grafóloga no eran tan despreciables. Tenía, me confesó, problemas para la convivencia: trataba de ser tolerante con los demás, pero no podía.

Cuando volvimos al teatro llovía ligeramente y Alberto me cogió del brazo con suavidad. No me había dejado hablar mucho, pero no siempre soy comunicativa. Y creo que tampoco soy la interlocutora ideal, a pesar de que muchas personas me escogen para contarme su vida. Escucho a medias y muchas veces ni siquiera escucho, pero ante el temor de ser descubierta en esa involuntaria descortesía, digo que sí con la cabeza y con los ojos, tal vez con demasiada insistencia, lo que supongo produce el efecto de una gran atención.

Eran las doce de la noche cuando salimos de nuevo a la calle, ya terminada la función y de nuevo interrumpidas mis ensoñaciones. Por todas partes se escuchaban murmullos de aprobación y comentarios muy especializados como suelen escucharse a la salida de la ópera, donde todo el mundo compite en conocimientos y sabiduría. Alberto no se dejó amilanar y pregonó con voz potente sus impresiones.

—¿Puedo invitarte a tomar algo? —me preguntó, abandonando repentinamente su discurso—. Supongo que todos los restaurantes están cerrados a estas horas, pero siempre nos quedan las hamburguesas. Es lo único que se me ocurre.

Mientras esperábamos a que llegaran las hamburguesas, me hizo una breve exposición de su situación familiar. Estaba casado desde hacía veinticuatro años, y se iba a separar. Los dos estaban de acuerdo, Cecilia, su mujer, y él. Tenían tres hijos, dos chicos y una chica, de veintitrés, veintidós y veinte años respectivamente. La chica era la pequeña. Los tres estaban estudiando y eran buenos estudiantes. Cecilia era abogada y era ella quien había tomado la decisión de separarse. Al principio, admitió Alberto con un aro de cebolla rebozada entre los dedos, él se había quedado perplejo, pero lo había acabado aceptando, incluso lo entendía y desde luego estaba dispuesto a facilitar las cosas.

Aquella historia me aburrió terriblemente. Yo también tenía problemas familiares. Para colmo, una vez expuestos los hechos, empezó a teorizar y cuando al fin llegaron las hamburguesas y cuando no quedó mucho de ellas en el plato seguía teorizando. Seguramente para no sentirse solo y abandonado, se sentía impulsado a incluir su experiencia dentro de la corriente general de la vida.

—La mujer está más abierta a la vida —dijo, o mejor dicho, dictaminó— porque está más cerca de ella. El hombre tiene poco que ver con las fuentes de la vida, y en cierto modo lo sabe y por eso teme.

Se pone al servicio de la mujer en lo más primordial, que es, paradójicamente, lo menos peligroso. El resto es dominio, o intento de dominio. Sometimiento, guerra, exterminio —le brillaban los ojos—. Pero todo es producto del anquilosamiento esencial del hombre, de su miedo a morir, a ser rechazado: eso es como la muerte. A partir de ahí, el hombre se dispersa en cosas sin importancia, eso que se llama recursos. Son formas de huida, de no querer ir al fondo de las cosas. Toda la ventaja, en el fondo, la tienen las mujeres, aunque no sabéis aprovecharla. Os falta seguridad, ése es el único problema. Pero la seguridad que aparenta el hombre es falsa, y hasta cierto punto, la mujer lo sabe. Ha basado su vida en ella, en su capacidad de decir al hombre que no, de arrojarle del hogar, del lecho.

Supongo que mi mirada se perdió. Éstas son palabras —hogar, lecho— que pueden hacerme perder los papeles. Suenan a manual de sociología, a pretenciosas interpretaciones del mundo. Es mucho más fácil y sencillo decir casa y cama. Por lo demás, ese tipo de generalización ya es de por sí bastante irritante. Supongo que no se puede vivir sin hacer generalizaciones, pero resulta bastante asombroso la capacidad que tienen algunos hombres de lanzar teorías sobre las mujeres —y de paso sobre los hombres, sólo de paso— delante de las mujeres, como si no consideraran la posibilidad de que las mujeres puedan discurrir ellas solas, por su cuenta y riesgo, y sentirse ofendidas y oprimidas si es que tal cosa les gusta, les da la gana o les divierte. Allí estaba yo, mujer, se me mirara por donde se me mirara, escuchando esa magnífica disquisición sobre mi sexo —no toda recogida aquí, ya olvidada—, mirando al infinito, y cerca, según Alberto, de la vida, sin poder aprovechar las innumerables ventajas abstractas que él veía, en general, en mí.

Con todo, podía apreciar en Alberto ciertas cualidades: era un hombre amable, cortés, educado. A lo mejor, estaba atravesando un momento difícil y tenía necesidad de desahogarse, de escucharse a sí mismo, de sentir que sus palabras eran recibidas o escuchadas o atendidas o consideradas. Cuando me dejó en el portal de mi casa, me preguntó si podría llamarme en otra ocasión, tal vez para salir a cenar por ahí, en otro lugar donde se pudiera tomar algo mejor que una hamburguesa. Y le dije que sí, porque, como él había formulado minutos antes, es difícil decir que no a un hombre y porque ese sí a nada me comprometía. Y también porque, a pesar de todo, estaba contenta. Durante la representación de *Norma* había pensado y fantaseado con Ishwar. Viendo *Norma*, mi viaje a Oriente había vuelto a mi memoria, con lo cual volvía a vivir. No se había acabado ni desvanecido del todo.

Era Gisela, en el fondo, quien tenía la responsabilidad de esa resurrección. Y mientras subía en el ascensor hacia mi piso, intuí que Gisela había planeado ese encuentro entre Alberto Villaró y yo. Ella, siempre atenta a las necesidades de los demás, debía de estar al tanto de su inmediata separación conyugal y debía de haber pensado que Alberto podía ser una persona adecuada para mí. Al hacernos coincidir juntos en la ópera y brindarnos la posibilidad de que nos conociéramos, nos ayudaba a los dos. No era difícil imaginar a Alberto Villaró entre mis padres, alabando los cuadros de los jardines románticos y las niñas rubias, la colección de cajas de madera y las cucharillas de plata. No había duda de que lo había planeado, tal vez en el mismo momento en que se lo encontró en el portal de su casa, o cuando, ya en el ascensor, hablaron de ópera, o tal vez unos días antes, en una reunión de la comunidad de vecinos de la que, recordé, Gisela era la presidenta.

6

ÉSE FUE EL PRIMER SIGNO de la resurrección del viaje o de la continuidad de la vida, cosa en la que desde siempre me he resistido a creer. Y, poco después de asistir a la representación excepcional de *Norma* en compañía de Alberto Villaró, recibí un pequeño sobre amarillo cuyo remite era ya parte indiscutible de mi deambular por Oriente: Gudrun Holdein. Valle del Saúco. Así pues, la señora Holdein había realizado su deseado viaje a España.

Debo decir que me estremeció recibir ese sobre de la señora Holdein, que preludiaba, acaso, un encuentro con ella que no me resultaba en absoluto sugerente. Ya sólo leer su espantoso nombre me estremeció. Hubiera preferido recibir otro tipo de noticias. De Ishwar, desde luego. Abrí el sobre y leí las líneas que la señora Holdein había escrito en una tarjeta, anunciándome su paso por Madrid y, como yo había temido, pidiéndome que le concediera un breve rato de mi tiempo, porque tenía algo que darme. ¿No recordaba las fotos que me había sacado en la piscina? Pues habían salido muy bien, ya lo vería. Me llamaría por teléfono y me las llevaría adonde yo quisiera, porque además tenía otra cosa para mí.

Enviarme esa nota anunciándome su llamada y adelantándome el motivo de ésta era un signo de educación que yo no discutía, pero el detalle de esa otra cosa que tenía para mí, de la que no decía nada más, ni qué era ni quién se lo había pedido, en el caso de que se tratara de un encargo, parecía deliberadamente misterioso y me intrigó, a pesar de que yo hubiera preferido no sentir ninguna curiosidad por aquel nuevo encuentro con la señora Holdein. Me parecía algo fuera de lugar, y lo era.

Así que su llamada, días después, no pudo sorprenderme, ni su insistencia en entregarme las fotos, aunque se calló, astutamente, lo de la otra cosa. Me propuso que comiéramos juntas en uno de los excelentes restaurantes que había en Madrid, de los que le habían hablado no sólo en El Saúco, sino unos amigos alemanes que visitaban España con frecuencia. No sé si esperaba mi negativa, pero supo reponerse a ella y me preguntó entonces qué era lo más conveniente para mí. Como le había dicho que durante esos días yo tenía mucho trabajo (inventé unos informes urgentes e importantísimos), la invité a casa a tomar café después de comer, me hacía un favor si aceptaba, le dije, y además, conocería a mis padres. Sé que los extranjeros valoran mucho la hospitalidad. La señora Holdein agradeció la invitación y después de pedirme algunos datos que la orientaran para encontrar nuestra calle, se despidió con mucha amabilidad y diría yo que satisfecha.

En cierto modo, yo también lo estaba, porque había eliminado, al menos, la posibilidad de ver a la señora Holdein a solas.

Al día siguiente, a las cuatro en punto, apareció la señora Holdein en nuestra casa. Yo había comunicado lacónicamente a mis padres que íbamos —los incluí a ellos— a recibir una visita, sin extenderme en dar unas explicaciones que de todos modos no hubiera sabido dar. Decidí que las cosas salieran como buenamente pudieran y confiar en el buen sentido de mi madre, bien dotada para una conversación intrascendente. Pero mi padre, que había fruncido el ceño al informarle yo de la visita, en cuanto vio aparecer a la señora Holdein, murmuró no sé qué y se despidió, sin duda a tomar café, coñac y puro en cualquier bar de nuestra calle. Sospeché que lo tenía planeado y que ya se había preparado para abandonar la casa aprovechando la confusión que se produce en las presentaciones. El caso fue que nos quedamos solas las tres mujeres, la señora Holdein, mi madre y yo, alrededor de la mesa camilla, frente a la bandeja del café, que me apresuré a servir, un poco sonrientes y envaradas mi madre y yo mientras la señora Holdein paseaba su eterna mirada complacida por el cuarto, demorándose en los objetos predilectos de mi madre.

Mujer de recursos, en seguida se puso a hablar y le contó a mi madre cómo nos habíamos conocido. Hablaba un español sucinto y limitado, algo cómico, que surtió efecto en mi madre, quiero decir que le gustó y casi se contagió de él. En seguida empezó a conjugar los verbos en infinitivo y a eliminar partículas poco esenciales, creyendo que ya que la señora Holdein hablaba así la entendería también mejor a ella si utilizaba parecido lenguaje. Después de esa introducción, la señora Holdein me tendió un sobre que sacó de su bolso, tal vez el mismo bolso o al menos tan grande como el que llevaba en Delhi.

—Son las fotografías —dijo—. Creo que son buenas.

No era modesta. Debía de pensar que la franqueza y el juicio imparcial son posibles y admisibles aplicadas a lo que uno mismo hace. Y las fotos eran buenas, francamente. Las miré muy de prisa porque sentía sus ojos complacidos clavados en mí, y se las pasé a mi madre que las alabó con entusiasmo, dejando caer una serie de exclamaciones y elogios, pronunciados muy alto y muy despacio, y algunos de ellos en infinitivo.

La señora Holdein nos habló después de su visita a El Saúco, donde había pasado unos días con su antigua pupila, en un encuentro emotivo que había removido todos sus recuerdos de juventud. Se había decidido a hacer al fin aquel viaje tantas veces soñado porque había tenido que ir a Johannesburgo, donde había asistido a un congreso contra el apartheid promovido por fundaciones privadas dedicadas a estudios sociales. No se me había ocurrido convocar a Gisela a ese café y la eché de menos, porque esos temas hubieran propiciado una profunda y larga conversación entre ellas. Mi madre, sin embargo, no estaba preparada para esas discusiones, por lo que se limitó a asentir, aprobatoria.

Pero poco después, tal vez cansada de hablar tan alto, tan despacio y de tan mala manera, mi madre se levantó y desapareció, murmurando una excusa indescifrable. La señora Holdein y yo nos quedamos súbitamente calladas, yo, desde luego, reprochando a mi madre su desaparición inesperada, y ella pensativa. Abrió su bolso de nuevo y me dio un paquete del tamaño de un puño, envuelto en papel de seda color fucsia.

—Pasé por Delhi —sonrió con cierta timidez— y me encontré con el muchacho hindú, Ishwar. Le dije que iba a venir a España y me encargó que le diera esto.

Algo de eso había esperado yo, la verdad, por lo que abrí el paquete con algo de emoción. Al fin, Ishwar daba señales de acordarse de mí. Una cosa era que la historia hubiera terminado y que supiéramos los dos que de prolongarse hubiera terminado peor, y otra cosa ese absoluto olvido. Dentro del papel, había una bolsa de raso de rayas de muchos colores y dentro de la bolsa una pulsera de plata, un brazalete ancho y liso.

—Me ha dicho que mires su interior —dijo la señora Holdein.

La obedecí. Había un dragón y una inscripción grabados.

—Es tu nombre en uno de los dialectos hindúes —dijo ella—. El dragón significa vitalidad y misterio.

Se había acercado a mí para ver la parte interior del brazalete.

—Póntelo —dijo.

De nuevo la obedecí, aunque me costó cierto esfuerzo meter el brazalete en mi muñeca porque era de esa clase de brazaletes que no se abren y que sólo tienen una ranura que presumiblemente tiene que bastar, pero como era totalmente rígido y muy ancho, la operación resultó difícil. Sentí los dedos de la señora Holdein junto al brazalete, en mi muñeca. El brazalete ya estaba en su lugar, no había que ayudarme a ponérmelo. Pero ella aún se me acercó un poco más. Vi sus ojos azules muy cerca y escuché sus palabras, que sonaron temblorosas en un tono muy bajo.

—Querida, ¿por qué no me acompaña a hacer una excursión a Toledo? Me han dicho que no debo dejar de ir, pero me gustaría tanto que usted viniera conmigo.

Me levanté. Había empleado el «usted», pero la proposición parecía bastante íntima.

—Ya le he dicho que estos días tengo mucho trabajo —dije, mientras servía más café en las tazas.

En aquel momento entró mi madre y aunque bendije su aparición volví a reprocharle que se hubiera marchado.

—Deberíamos haberle presentado a Gisela —dijo

mi madre, que no se sentó, como si quisiera poner término a la visita de la señora Holdein—. Es una amiga nuestra alemana. En realidad —sonrió— es más española que nosotros, pero nació en Alemania. Vive aquí desde pequeña. Se hubieran entendido en su propia lengua.

La señora Holdein fue perceptiva a la posible intencionalidad del gesto de mi madre y sin duda aún más al rechazo con que yo, segundos antes, había respondido a su invitación, de forma que se levantó, aunque con una sombra de confusión en los ojos y manchas de color en sus mejillas.

—Siento haberlas molestado —dijo, ya en la puerta—. Para mí ha sido un placer visitarlas.

—No nos ha molestado —dijo mi madre—. ¿Por qué iba a molestarnos? Me encanta recibir visitas.

Algo más animada, la señora Holdein me envió una mirada que contenía diversos sentimientos: perdón, súplica, y todavía ciertas esperanzas. Estrechó nuestras manos y desapareció en el ascensor.

—¿Por qué habrá dicho que su visita podía molestarnos? —volvió a preguntar mi madre, de vuelta al cuarto de estar—. ¡Qué raros son los extranjeros!

Se fijó en el papel color fucsia y en la bolsa de colores.

—¿Qué es esto? —preguntó.

—Un regalo. Me lo manda un amigo de Delhi.

Le enseñé la pulsera, que ella miró sólo un instante.

—Debe de pesar mucho —dijo.

Me llevé a mi cuarto las fotos que me había entregado la señora Holdein y las miré más despacio. Recordé la polvorienta y bochornosa tarde de verano en que fueron tomadas y el cansancio que tenía yo después de haber hecho mis quinientos metros nadando. En una de ellas, la mejor, la que me gustaba más, yo sonreía levemente mirando al frente, a quien me quisiera mirar. Al fondo, el edificio blanco del hotel tenía una tonalidad rosada. Las palmeras, casi totalmente negras, se recortaban contra el cielo gris. Y una suave luz caía sobre mi cuerpo mojado. La señora Holdein, antes de sacarme esa foto, me había dicho: «Mira al objetivo y piensa en algo bueno.» Aún me acordaba de lo que había pensado: el ancho río marrón detenido a espaldas del Taj Mahal. Me sentía cansada, no sólo por los quinientos metros de crawl en la piscina, sino por la noche pasada en la habitación de Ishwar, cansancios, los dos, agradables y dulces. Y el río había acudido a mi cabeza, lleno de fango y apenas con corriente, Dios sabe en qué asociación de ideas.

De todos modos, yo me había alejado ya de todo eso y no podía identificarme con aquella mirada que, acaso, me producía nostalgia porque me hacía pensar que aquel momento había sido perfecto para mí. Esa persona que me miraba estaba completamente conforme con su destino, el instantáneo, preciso destino que estaba viviendo. Y, en mi cuarto de Madrid, en pleno mes de diciembre, yo estaba muy lejos de sentir algo parecido. Resulta bastante extraordinario ver en una imagen que te reproduce algo que no eres, y aun te surge la duda de si no eres en realidad así, como otra persona, aunque sea en otro tiempo, no tan lejano; a fin de cuentas, te ha captado, y tú lo ignorabas. En todo caso, si alguna vez yo me había sentido así, como la fotografía mostraba, eso se había acabado. Había perdido lo que me había dado identidad, coherencia y paz. De forma que la fotografía, aun siendo muy buena, me molestaba, porque señalaba una cualidad perdida, irrecuperable. Y tuve la impresión, algo inquietante, de que una doble mía andaba suelta por el mundo, sin saber con qué consecuencias, en aquella fotografía que se podía mostrar, observar y tocar.

También me asombraba que en la foto yo estuviera en traje de baño —aunque, cubierto con una toalla que rodeaba mi cuerpo, no se veía, pero yo casi podía sentir su humedad caliente— y que acabara de salir de la piscina, donde había estado nadando produciendo un ruido que Ishwar había escuchado, pensando que era yo quien nadaba, desde su cuarto, donde yo había pasado una noche feliz. Aquella foto, en suma, no era una foto, sino una historia y me molestaba que pudiera exhibirse así, sin ningún pudor, ante cualquiera. Porque detrás de mí, se veía un pedazo del agua de la piscina, y el edificio del hotel, con algunas de las ventanas abiertas, entre ellas, la de la habitación de Ishwar. Lo que me asombró y me estremeció fue que la foto contuviera todo eso con tanta precisión. Yo había estado en Delhi, en aquella piscina, a esa hora de la tarde. Y antes y después del momento en el que me había bañado y nadado en la piscina, también había estado allí.

Los recuerdos volvían, los signos, las señales de la continuidad de la vida, sólo demostrada en algunas ocasiones.

A lo largo del invierno, Alberto Villaró me llamó varias veces para proponerme todo tipo de planes: cines, teatros, conciertos, más óperas, cenas. Casi siempre le decía que no, pero en alguna ocasión acepté, en parte, porque su amabilidad me desarmaba y, como lo veía poco, me olvidaba que la materia central de su conversación era su mujer o las mujeres, asuntos sobre los que conocía demasiado bien su opinión y sobre los que prefería mantenerme callada y, en parte, porque algunas de sus proposiciones no eran intrínsecamente malas y a veces coincidían con un momento mío de tedio, momento que amenazaba con eternizarse. Pero debo decir que cuantas veces acepté una invitación de Alberto, me arrepentí. Llegué a una conclusión: quería que conociera a Cecilia. Tenía esa idea fija en la cabeza. Nuestras despedidas se cerraban con una invitación tendida para comer en su casa. Así conocerás a Cecilia, decía. Yo no tenía ningún interés por conocer a Cecilia ni por comer en su casa. Sospeché que lo que Alberto quería era provocar, ya tardíamente, los celos de Cecilia, demostrarle que él tenía sus propias amistades femeninas y que aunque ella quisiera separarse de él, él no era un hombre acabado. Por lo que Alberto me contaba, Cecilia ya había encontrado un piso y se iba a trasladar en seguida. De un momento a otro, les concederían la separación. La situación parecía irreversible y eso le irritaba. Se notaba en el tono de su voz. Por mucho que se esforzara en dejar bien claro que entendía y apoyaba a las mujeres y que estaba profundamente de acuerdo con la causa femenina, el abandono de Cecilia le ofendía y le exasperaba. Y cuanto más era él capaz de entenderla, a ella y a todas las mujeres, más injusta debía de parecerle la marcha de Cecilia que, a lo que yo colegía, no se separaba de él porque aborreciera a los hombres en general, sino porque se había cansado de Alberto Villaró, él solo.

La última vez que acepté una invitación de Alberto fue para ir a una recepción oficial, y la acepté porque tenía la seguridad de que Fernando asistiría a ella. Nunca me lo había encontrado en público mientras duró nuestra aventura —¿cómo llamarla o llamarlo? *Lío* resultaría una palabra más apropiada, pero es demasiado expresiva. No era ningún lío; era sencillo, corto y molesto. *Aventura* tiene unas connotaciones de excitación, emoción y riesgo que, aunque eran parte esencial de nuestros encuentros, fueron disminuyendo, languideciendo y al final sólo era su recuerdo lo que me sostenía e ilusionaba. Aventura o lío, da lo mismo, hay que llamar a *eso* de algún modo—, pero ahora que hacía tiempo que la aventura había terminado, me sentía con fuerzas para enfrentarme a él y que él viera que yo seguía existiendo, sin tener ningún plan, ningún proyecto, entre nosotros. No me había hundido. Existía y tenía amigos y tal vez otros líos y aventuras. Yo era una persona solicitada o, al menos, tenía con quien ir a los sitios. Quería, como Alberto respecto a la mujer que dentro de nada iba a salir de su casa con unos papeles en los que se anulaba el nexo que había existido entre ellos, devolver a Fernando la imagen de una persona no vencida.

Entramos, al fin, Alberto y yo en el salón donde se daba la recepción más hermanados de lo que él podía suponer, abrigando parecidas intenciones.

Nada más entrar, vi a Fernando, rodeado de muchas personas, como era de presumir, porque es difícil que un político se quede solo en una recepción. Y en seguida vi a su mujer, en otro grupo, que le dirigía miradas de control. Sin duda, ella estaba al tanto de sus líos y a lo mejor un día se cansaba de desempeñar su papel sufridor, ese ingrato papel de únicamente resistir.

Decidí mantenerme a una distancia relativa de Fernando. Quería saber si vendría a saludarme. En un determinado momento, quedamos frente a frente. Me miró, sorprendido, como si eso, verme, fuera la última cosa que hubiera esperado en el mundo. Reaccionó, apartó de su lado, con ese gesto amable e indiscutible tan propio de los políticos, a la persona que le cerraba el paso hacia mí, y se acercó, con una sonrisa en los labios y la mano extendida. Me retuvo la mía, me miró intensamente. Se interesó mucho por mi vida. Todo muy de prisa. Al despedirse, me dijo, casi al oído:

—Me gustaría verte un día. Pronto. ¿Te llamo o me llamas?

—Te llamaré —le dije.

Fue lo único que se me ocurrió decirle. No iba a decirle: Vete a la mierda. Tampoco era para tanto. Sencillamente, él pensaba que nuestra relación, aventura o lío, no había terminado. A lo mejor ni se había dado cuenta de que se había interrumpido, ocupado como siempre estaba en campañas, reuniones y viajes. Si después de verme en la recepción y desear verme a solas en una de aquellas habitaciones cubiertas de moquetas doradas y verdes de los hoteles a los que me llevaba, se quedaba con la remota esperanza de que yo iba a llamarle y no le llamaba, ésa era mi pequeña venganza. Muy pequeña.

Un poco abatida, pero no demasiado, y más por mi falta de reflejos —una frase ingeniosa, una proposición desconcertante— que por la actitud de Fernando, que sólo me demostraba que era el mismo, inmutable, eterno ser, volví junto a Alberto que me cogió del brazo y me susurró:

—Aquí está Cecilia. Te la voy a presentar.

¿Cómo son las abogadas? Muy parecidas. Los abogados también se parecen. Y unas a otros. Algo más guapa, tal vez, de lo que yo había imaginado, pero el mismo aire de seguridad, de fortaleza, y llevaba la ropa que debía llevar y los zapatos y el peinado y las joyas no auténticas pero de buen gusto con que se adornaba. Me miró desde la cumbre de su profesión, su prestigio y su futura e inmediata separación. A fin de cuentas yo estaba con un hombre del que ella se había hastiado. No compadecí ni sentí por Alberto ninguna solidaridad, porque él la miraba un poco temeroso, cuando, supuestamente, debía de enorgullecerse de mí. ¿No era yo su valedera? Me había visto hablar con Fernando y podía haber captado que no había habido mucha inocencia en aquella breve conversación. En fin, yo era una chica, una mujer, que causaba buena impresión. Pero me traicionó. Frente a Cecilia, sintió temor. La miraba de soslayo, tratando de calibrar su desprecio. Ambos me parecieron lamentables, en sus papeles ancestrales de verdugo y víctima.

—Te llamas Aurora, ¿verdad? —dijo una voz.

Me volví un poco hacia la izquierda y vi a un chico al lado de Cecilia. Lo había visto acercarse hacia nosotros, pero como había concentrado mi atención en Cecilia, ni siquiera lo había saludado. No lo conocía, no lo había visto en mi vida, pero algo en sus ojos, además de lo que acababa de decirme, me hizo mirarlo más.

—No me conoces —dijo—. Pero yo a ti sí. Es una larga historia.

Por la forma en que siguió mirándome y se me acercó más, comprendí que esa larga historia podía empezar en cualquier momento. Hay veces que pasa eso. Un hombre se te acerca y te dice que te conoce, que ha soñado contigo, que tiene una larga historia que contarte y que te incluye a ti. Me pasó una vez. Me estaba pasando. Tal vez era lo más normal del mundo.

A Cecilia no la volví a ver. A Alberto, sólo al final, cuando nos fuimos. Entretanto, estuve escuchando a aquel chico, Alejandro.

—Sé que parece increíble, pero te conozco de unas fotografías. Asómbrate todo lo que quieras, pero voy a contarte cosas de tu vida. Estuviste unos días en Delhi el verano pasado y coincidiste en el hotel con una señora alemana que te sacó unas fotos. La señora Holdein. —Se me quedó mirando, observando mi reacción—. ¿La recuerdas?

»Da la casualidad —siguió, después de mi asentimiento— que la señora Holdein fue la institutriz de mi tía Carolina y estuvo visitándola antes de Navidad. Se dejó una colección de fotografías en un cajón, el mismo cajón que, días después, utilicé yo. La tía Carolina la alojó en el cuarto que yo suelo ocupar cuando voy a visitarlas, a ella y a mi madre. Pasé parte de las navidades en El Saúco. No sé si te lo estoy explicando bien. El caso es que las fotos llamaron mi atención. Estuve mirando mucho rato a todas esas personas en traje de baño, porque había a su alrededor un clima de misterio, puede que fuera por la luz; no se podía determinar si pertenecía a la caída de la tarde o al amanecer, aunque no parecía probable que la gente se bañara en la piscina al amanecer. Hice copias de las fotos y trabajé con ceras y acuarelas. Sobre todo, trabajé con la tuya. Hice toda una serie con ella. ¿Te gustaría verla?

—¿La serie? —pregunté, mientras trataba de asimilar todo lo que me había dicho.

—Eso es, la tengo en el estudio.

—¿A qué te dedicas?

—Soy pintor —hizo un gesto vago con la mano—. Ahora he vuelto al *collage*, a partir de la serie que hice con tu foto. Me gustó mucho.

—Todo esto resulta bastante sorprendente —dije—. La señora Holdein me visitó a su regreso de El Saúco, creo que fue a primeros de diciembre. No la conocía mucho y su llamada me sorprendió.

Me había olvidado de sus fotos. Nos conocimos en el hotel de Delhi. En realidad, fue ella quien se acercó a nosotros.

—No conozco a la señora Holdein —dijo Alejandro—, pero puedo asegurar que la visita que hizo a mi tía fue muy oportuna. Dejó tus fotos en el cajón.

—Es raro que tuviera tantas fotos —dije.

—Eso es lo menos raro de todo. Pudo hacer nuevas copias. Ella debía de tener los negativos. Y seguro que pensó que había perdido las fotos —dijo Alejandro—. Lo verdaderamente increíble es que yo te haya encontrado. Pero la vida está llena de casualidades.

Anotó mi número de teléfono y dijo que me llamaría. Quería que viera los *collages*.

Los tres días que pasaron sin que yo recibiera su llamada me hicieron recordar el significado de muchas palabras empalidecidas y gastadas. Sobre todo, la palabra «emoción». Sabía que me llamaría, porque su historia era tan complicada como la mía. Los dos teníamos en nuestro haber nuestra respectiva cadena de casualidades. El punto de partida de mi cadena era Gisela, la invitación para ver *Norma*, y sus posibles maquinaciones para que conociese a Alberto. Alberto me había conducido, sin proponérselo, sólo porque quería presentarme a su mujer, hasta Alejandro. La señora Holdein era el primer eslabón de la cadena de Alejandro. Así, Gisela y la señora Holdein estaban finalmente ligadas, como yo había intuido la primera vez que sentí los ojos azules de la señora Holdein clavados en mí. Las dos nos habían empujado a aquel encuentro, cada una por su lado, pero profundamente de acuerdo, sincronizadas. Las fotos al borde de la piscina habían alcanzado al fin su destino; desde el mismo momento en que habían sido tomadas, habían empezado a moverse, a ir hacia él. La señora Holdein, sabiéndolo, había dicho: piensa en algo bueno, mira al objetivo. Mira a esa persona que te va a mirar. Era el azar, pero parecía un complot.

Si Alejandro no me llamaba, todo eso se disolvía, no se cumplía, y ya habíamos recorrido demasiados pasos. Así que me llamó. Me llamó y fui a su estudio a contemplar mis fotos de nuevo. Tinta de todos los colores me cubría. Estaba bañada en colores y acabé por no reconocerme. Mejor.

Aquella tarde de invierno se inició allí, en el estudio de Alejandro, una nueva aventura, una historia de amor; pero no lío, porque Alejandro no era un hombre casado y estaba perfectamente libre de compromiso y, no es por hacer alarde de ello, pero más de una vez me propuso que me casara con él.

7

LAS MALAS NOTICIAS y las complicaciones llegaron juntas. El timbre del teléfono sonó en el mismo instante en que me disponía a salir de casa a las ocho y media de la mañana. Nadie llama a esas horas, y me sobresalté. Era Gisela. Con voz entrecortada, me dijo que el hijo de sus amigos, el chico que ella se había comprometido a cuidar, había muerto aquella madrugada. Le acababan de llamar para decírselo.

—Lo encontraron en el cuarto de baño de un bar —dijo más de una vez.

Tenía que ir a reconocer el cadáver, pero no tenía fuerzas. Tampoco se podía negar. Ella era la única que podía hacerlo. Debía pronunciar la última palabra, ese asentimiento final, ese adiós que es, también, afirmación y aceptación. Me pidió que la acompañara. Creo que ha sido el único favor que me ha pedido Gisela. Llamé a la oficina y pedí un día libre.

Después de aquel trámite sórdido y deprimente, llevé a Gisela a comer a casa para que estuviera más acompañada. Ni hablaba ni lloraba. Sólo de vez en cuando repetía aquella frase, en un murmullo casi inaudible: «En un cuarto de baño.» Ese detalle, sin duda, la horrorizaba, porque era el símbolo de la desolación y la miseria de aquella muerte y también de su culpa.

—No te atormentes —decía mi madre—. Hiciste todo lo que estaba en tu mano.

¿Y qué era eso? Los ojos de Gisela ni siquiera expresaban impotencia; sólo vacío. Nunca había sabido lo que verdaderamente estaba en su mano.

La acompañé a su casa y le hice tomar una copa de coñac. No quiso meterse en la cama. Dijo que se quedaría mirando la televisión, que no tenía sueño, que no quería dormir. Sus palabras eran como susurros. No tenían tono. Parecía tan afectada que llegué a pensar que tal vez había querido a aquel chico más de lo que sus propias fuerzas o su moral o sus hábitos se lo permitían. La conmoción había vaciado su mirada y había algo más que muerte en el fondo de sus ojos. O, por lo contrario, cuando se llora la muerte de alguien, se llora algo más que su muerte, y en los ojos de Gisela no había nada más. Por eso impresionaban tanto. Ése era el fin.

No había pasado ni una semana desde aquel día, cuando, una tarde, de regreso a casa me encontré a mi madre sola y pensativa. Era el día de la tertulia del Casino y Gisela, todavía muy conmocionada, no había venido a acompañar a mi madre.

—¿Por qué será que la vida se complica de repente, de golpe? —me preguntó cuando me senté a su lado y quise saber qué preocupación rondaba su cabeza y le daba aquella expresión de desaliento.

Yo no me sentía mal aquella tarde, seguramente porque la vida ofrece, además de complicaciones, compensaciones. Había comido con Alejandro, había vuelto a visitar su estudio. Estaba pisando un terreno nuevo, en el que yo no sabía cómo moverme y donde todo resultaba emocionante y arriesgado. Desde esa sensación, que dure lo que dure, es la mejor que conozco, contemplé el rostro grave y pensativo de mi madre y me dispuse a escucharla.

—He hablado con Jorge —dijo—. Al pobre todo se le ha caído encima, a la vez. No ha tenido nunca el menor problema. Ha sido siempre incapaz de pensar con seriedad, nunca se ha responsabilizado de nada. Su vida ha sido demasiado fácil. Las mujeres le han perseguido siempre. Para él todo ha sido como un juego.

Después de esa introducción, suspiró, cogió fuerzas y bajó a la realidad.

—La mujer que cuidaba del hijo de Sofía ha muerto. El chico ya es mayor, tiene diecinueve años. ¿Quieres creer que no se han preocupado de darle unos estudios? Trabaja en un taller de mecánica y parece que tiene una salud delicada, que está siempre enfermo. —Movió la cabeza hacia los lados—. No tienen perdón de Dios. Acaba de pasar una neumonía y está muy desmejorado, muy débil. Pero Sofía se ha metido en la cama y no sale de su cuarto. Parece que lleva así una semana, desde que se enteró de la muerte de esa mujer. Me temo que está mal de la cabeza. Pero algo tiene que hacer Jorge. Le he dicho que tiene que traerse al chico a vivir con ellos. Es su deber. No pueden desentenderse. Al fin, Jorge ha hablado con el chico y le ha mandado dinero para el viaje. Creo que ya está mejor y que puede moverse. Pero he tenido que convencerle, he tenido que insistir.

Se lamentó de nuevo de la mala educación que había recibido su hermano y a la que ella había contribuido. Tuve la impresión de haber escuchado esas palabras muchas veces. Se las sabía de memoria. Las estaba repitiendo como quien recita una vieja lección que ya no tiene ninguna aplicación práctica.

—Ahora está desesperado. Sabe que tiene que hacer algo por el chico, pero no tiene fuerzas. Nunca las ha tenido —seguía mi madre.

En cierto modo, se adelantó a los acontecimientos, porque el tío Jorge, cuando volvió a llamar, confesó que no tenía fuerzas, que no podía más. Félix, el hijo de Sofía, había llegado. Efectivamente, estaba muy débil. Pero lo peor era lo de Sofía. Seguía recluida en su cuarto y, lo que es más, a oscuras. Ni comía ni hablaba ni quería recibir al médico. El tío Jorge estaba desesperado y mi madre nos preguntó, a mi padre, a Raquel y a mí, si no creíamos que debía ir ella a ayudarle. La idea le horrorizaba, porque le horrorizaba Sofía, pero era su único hermano y no tenía a quien recurrir. Sólo ella podía ayudarle.

—Llamad a Gisela —dijo mi padre—. Tal vez conozca a alguien que pueda ayudarnos. Al chico se le podría enviar a una casa de reposo donde cuiden de él hasta que se recupere, y habría que encontrar a un médico que logre convencer a Sofía de que tome una determinación con su propia salud.

—¿Una casa de reposo? —preguntó, escandalizada, mi madre—. ¿Tú crees que ahora existen esas cosas? Eso es del tiempo de la pipiringaya. Además —añadió, muy firme—, no pienso acudir a Gisela. Todo el mundo le plantea problemas. Se ha quedado muy trastornada con la muerte de ese chico y todo esto se lo va a hacer remover.

Hablamos, de nuevo, con el tío Jorge.

—No puedo ocuparme de los dos —se quejó, casi sin voz—. Félix sólo toma caldos y Sofía quiere tenerme constantemente a su lado. Creo que tiene celos del chico. Voy a volverme loco.

Después de aquella conversación, tuve una idea un poco peregrina, pero las cosas estaban ya para ideas peregrinas. Pensé en El Saúco y en la tía de Alejandro. Eso podía ser una casa de reposo. Me fui a mi cuarto y llamé a Alejandro. Le conté cómo estaban las cosas. Apenas necesité sugerirlo, él se me adelantó.

—Llevaremos a ese chico a El Saúco, allí estará estupendamente. Mi madre y la tía Carolina lo cuidarán. Le diré a mi tía que es un amigo mío que necesita tranquilidad. Me inventaré una historia. No hay ningún problema. A mi tía le gustan esas cosas. Le divierte la gente. Está muy aburrida, aunque no quiere admitirlo. Y así —añadió— conocerás la casa.

Dado el entusiasmo con que Alejandro había acogido la idea, volví al cuarto de estar.

—Dile al tío Jorge que nos envíe al chico —dije a mi madre—. He encontrado una casa de reposo para él. En el campo. Estará perfectamente cuidado. Al menos, le resolvemos un problema, el que le resulta más molesto.

Mi madre, sólo por puro trámite, me pidió un poco de información. Estaba familiarizada con el nombre de Alejandro a causa de sus frecuentes llamadas telefónicas. Al tío Jorge de momento le bastó saber que nosotros nos haríamos cargo de Félix. Respiró aliviado al otro lado del teléfono —mi madre quiso que yo le explicara adónde íbamos a llevar a Félix— y me dio las gracias por nuestra ayuda.

Félix apareció en casa dos días después. Lo esperábamos por la mañana, porque había cogido un tren nocturno, pero no llegó hasta media tarde, cuando empezábamos a preocuparnos en serio por él y nos preguntábamos si no debíamos comunicar al tío Jorge nuestra preocupación y transmitírsela. Nos impresionó su delgadez y el color pálido de su cara, pero también, y aún más que eso, su amabilidad, la sonrisa encantadora que iluminaba sus ojos oscuros, un poco febriles. Se parecía a Sofía, desde luego, aunque ella era magnífica —al menos, lo era la última vez que la habíamos visto, hacía cinco años— y él insignificante. Con todo, él resultaba más atractivo que ella, porque ella no sonreía así. No nos dio ninguna explicación sobre su retraso, y al momento olvidamos que habíamos estado preocupados. Se sentó entre nosotros como si nos conociera de toda la vida y no le asombrara que después de haber pasado diecisiete años sin que su familia mostrara ningún interés por él, se le obligara repentinamente a ir de un lado para otro, de estación en estación y de casa en casa.

No quiso cenar, sólo bebió agua. Quiso ayudar a recoger los platos de la cena, pero mi madre no se lo consintió. Él venía a descansar, a reponerse. Por eso lo mandábamos al campo, eso le iba a sentar estupendamente. En el campo había estado toda su vida Félix y nunca había tenido salud, pero sin duda debía de tratarse de otra clase de campo.

A mi madre se le había transformado la mirada. Al fin, ayudaba a su hermano y no estaba resultando tan difícil. Se le habían olvidado sus reproches y dedicaba a Félix una sonrisa complacida, como si, en lugar de ser hijo de Sofía, por quien nunca había sentido la menor simpatía, lo fuera de su hermano. Envuelta en su bata de lana rosa, nos deseó buenas noches desde la puerta del cuarto de estar. Félix se quedó a mi lado, sentado en el sofá, hasta que la programación finalizó.

Lo primero que yo hacía cada mañana cuando llegaba a la oficina era consultar la programación de televisión, porque el rato frente al televisor después de la cena, las veces en que cenaba en casa, era lo único que compartía con mis padres. No siempre podía hacerlo porque nuestros gustos no solían coincidir; mis padres defendían con cierta vehemencia sus programas favoritos, poco dispuestos a prescindir de ellos. Yo procuraba reservar para ellos, sin salir de casa, aquellas noches en que nuestros gustos señalaban al mismo programa. No eran muchas.

Así, miré, como siempre, el programa de televisión en la última página del periódico y mi mirada tropezó con una palabra: *Fitzcarraldo*. Ver la película *Fitzcarraldo* era la «otra» forma de aficionarse a la ópera, según las palabras que había pronunciado James Wastley y que yo no había olvidado porque habían sido dichas para que yo no las olvidara. Había asistido ya a la representación de *Norma* y aparecía la segunda oportunidad, la segunda opción. Y justamente aquel día, que era un día cualquiera, a simple vista, pero que no lo era. Primero, porque ya se había cumplido la primera parte de su profecía, si es que me ponía a exagerar; segundo, porque ya se habían producido una cadena de casualidades y todo cuanto me estaba sucediendo estaba sospechosamente ligado a mi viaje a Oriente. Me ponía a pensar, y todo encajaba, como en un rompecabezas, o todo podía encajar, porque empezaba a tener la sensación de que así era, de que todo encajaría, tarde o temprano.

Vi *Fitzcarraldo* en compañía de Félix. Mis padres se fueron pronto a dormir, en vista de que no había ningún programa de su gusto. Mientras yo aplicaba mi hipotética inteligencia y sensibilidad, mi percepción y mi gusto en entender qué era lo que James admiraba en aquella película —el heroísmo inútil, el carácter visionario, la fantasía voluntariosa—, Félix, a mi lado, dormitaba. Dormido, todas las facciones relajadas, parecía más joven y más guapo y apenas enfermo.

Ése era uno de los mitos de James, si es que había sido sincero y admiraba a *Fitzcarraldo*, como decía admirar a aquel tío suyo que había muerto desahuciado y pobre en Bombay. Muchos mitos para un hombre de mirada desengañada y cínica, que sólo me había mirado una vez a los ojos, una sola vez, para lanzarme aquella frase sobre la ópera.

Terminó la película y desperté a Félix, que aseguró que no se había perdido nada de ella y que le había gustado mucho. Le recordé dónde estaba su cuarto, porque andaba desconcertado por el pasillo. Se volvió para decirme que de acuerdo, gracias, buenas noches, hasta mañana; todas las fórmulas de la despedida, y aún murmuró algo más, tal vez insatisfecho de no haber encontrado otra mejor.

Algunas veces me digo, al despertarme de un sueño largo y complicado, que debería anotarlo, pero lo he hecho en muy pocas ocasiones. Aquella noche soñé con el Mississippi, con aquel legendario barco de ruedas que avanzaba majestuoso por sus aguas. Alguien me cogió de la mano y yo me volví. No sé con quién esperaba encontrarme, pero no con aquella persona que seguía apretando mi mano, cada vez con más fuerza, pero sin hacerme ningún daño. «¿Quién eres? —le pregunté—; ¿por qué me has cogido la mano?» «No soy Tom», me dijo él, y entonces vi que era un chico, uno de esos chicos como los hay a cientos, con los que te puedes cruzar por la calle sin mirarlos nunca, un chico normal, ni alto ni bajo ni feo ni guapo, un chico que, sin embargo, se acerca de repente a ti desde el fondo de un bar y todo se transforma, todo encaja. «No soy Tom —repitió—; soy Huck.»

Anoté ese sueño, que en aquel momento me pareció extraordinario; creo recordar que lo que me impresionó fue el paisaje que se veía desde el barco, y el aire que acariciaba el cuerpo, y el sol dorado, la sensación de placidez y calma y no querer nada más sino seguir a lo largo del río. Y lo que me dijo el chico también me gustó. Yo siempre he preferido a Huck.

Después de anotar el sueño, me desvelé y pensé en aquellos dos chicos, uno ya muerto y otro enfermo, que, faltos de familia, aunque en diferentes grados, habían ido a encontrar el cuidado o al menos la acogida de personas mayores cercanas a mí. La protección de Gisela no había resultado suficiente. Había sido errónea o tardía, en todo caso inútil. Su fracaso arrojaba una densa sombra de duda sobre nuestro papel en la vida de Félix, ese hijo medio rechazado, medio abandonado, a quien nadie había dado estudios ni al parecer mucha comodidad. No era responsabilidad mía, ni de mi madre, pero allí estaba, durmiendo bajo nuestro techo, remitido a nuestra casa, eventualmente entre nosotros. Tendría sus propios y enigmáticos sueños. En medio de la noche, me preocupó su destino. En medio de la noche, todos los destinos preocupan. Tal vez no era una buena idea llevarlo a El Saúco. Podía quedarse en casa. Mi madre no era una persona paciente, jamás la había visto cuidando a nadie, ni siquiera a mi padre. Era ella quien reclamaba todos los cuidados, se encontraba siempre peor que nadie. Ya daba bastante la lata a Juana, que tenía el tiempo justo para hacer la compra, la casa y la comida, además de planchar. Yo me pasaba el día fuera. ¿Quién podía ocuparse de Félix? Mi padre no, desde luego. Además, no era pariente suyo. Para esas cosas mi padre era muy riguroso.

Al fin, volví a quedarme dormida, tratando inútilmente de volver al sueño del que había salido, a aquella dorada luz de la tarde que se reflejaba en la superficie de un río de color verde, no marrón, y sentir la presión de aquella mano en la mía y saber que un chico cualquiera, uno de tantos, se había convertido, para mí, en la persona más importante del mundo. ¿Por qué eso me parecía tan excepcional? La noche deforma los sueños, los produce, los ensalza y a veces los borra. Y, sobre todo, el alba, donde yo me quedé, dejando atrás mis escrúpulos, mis miedos, mi culpabilidad y toda la carga de vagos preceptos morales que la vida, cuando se pone seria, se empeña en que asumamos.

8

EL TÍO JORGE llamó por la mañana y, después de un rato de conversación con mi madre, habló un momento con Félix.

—No te preocupes. Me encuentro bien —dijo Félix—. Dile a Sofía que esté tranquila.

Porque ella no se puso al teléfono. Con seguridad, no estaba tranquila, pero, posiblemente, tampoco se sentía muy preocupada por Félix. Había accedido, según nos comunicó luego mi madre, a recibir al médico.

Cuando Félix salió del cuarto, dijo mi madre en voz baja:

—Todo esto le desborda. Ya le he dicho que no hemos encontrado al chico tan mal. Hubiera podido ocuparse de él perfectamente. Es un chico que no molesta nada.

Cuando llegó el momento de la despedida, dirigió a Félix una mirada de aliento, como si se dirigiera a una empresa difícil y heroica. Esperó en el descansillo, apoyada en el marco de la puerta, a que desapareciésemos por el hueco del ascensor, y en sus ojos se leía que ése era, para ella, un descenso a los infiernos. Félix había despertado sus mejores instintos maternales y compasivos.

Alejandro nos estaba esperando frente al portal. Estrechó la mano de Félix y abrió el maletero, en el que colocó nuestras bolsas de viaje. Félix, sin preguntar nada, se sentó en el asiento trasero del coche.

Mientras nos dirigíamos hacia el Valle del Saúco, y dada la conversación intermitente y cordial que se había establecido entre nosotros, concluí que Félix estaba extrañamente dotado para producir efectos sedantes en las personas que se relacionaban con él. Menos, sin duda, su madre y su padrastro. Su familia. Sonreía suavemente, sin un atisbo de ironía, y decía a todo que sí, menos a la sugerencia de volver a servirse comida en el plato, como pudimos comprobar durante el almuerzo. Parecía únicamente un chico con deseos de agradar. Desde el asiento de atrás, dejaba caer comentarios siempre agradables.

Habían florecido los almendros y su color rosado se divisaba desde lejos, entre las tonalidades verdes del campo. Alejandro tenía un interlocutor nuevo a quien contar la historia de su familia, que yo ya había oído repetidas veces, en mi habitual papel de interlocutora aparentemente atenta, y no desperdició esa oportunidad.

—Ni siquiera sé los años que tiene —dijo, refiriéndose a su tía Carolina—. Hay días en que parece que tiene cuarenta y días en que le echarías más de cien. Es muy habladora, muy ignorante y muy avariciosa. Apenas ha salido de su casa desde que nació. Vive recluida, pero no creo que necesite nada del mundo exterior. En realidad, parece feliz. Es muy dominante. Nadie le ha llevado la contraria en su vida. Le he dicho que acabas de pasar unos exámenes, que has hecho un gran esfuerzo y que necesitas reposo. Ésas son las cosas que ella entiende mejor porque no ha hecho otra cosa en su vida más que eso: reposar. A lo mejor te obliga a tomar muchos vasos de leche y a hacer la siesta. En cuanto a mi madre —añadió—, en ella tendrás a una aliada segura. Le encantan las visitas, todo lo que le aleje un poco de mi tía.

Félix, medio tumbado en el asiento de atrás, son-reía vagamente ante aquella información que no había pedido como si aquellos cuidados que le aguar-daban le complacieran. Mi madre, que nunca había disfrutado como anfitriona, se había rendido rápida-mente a su encanto y había adoptado frente a él una postura de solicitud. Las mujeres de cierta edad no debían suponer un problema para él. Sus habituales deseos de agradar podían convertirse, frente a ellas, en deseos de ser cuidado. Pero eso eran especulacio-nes mías. Félix me hacía pensar. Él, a diferencia de mí, había sido un hijo prematuro. Las responsabili-dades familiares habían caído sobre mí. Nadie se había responsabilizado de él.

Llegamos a El Saúco a la hora de la siesta. No había nadie por las calles.

—Si quieres venir al pueblo —dijo Alejandro a Félix— tendrás que hacerte amigo del chófer de la tía Carolina. Tiene una Lambretta, pero no le gusta prestarla.

—¿A qué distancia está la finca? —preguntó Félix.

—A doce kilómetros. Para un paseo, es demasia-do largo. Lo ideal es la moto.

Salimos del pueblo y cogimos la desviación hacia la finca. En un poste indicador, unas letras negras sobre un pedazo de madera en forma de flecha de-cían: «A Nuestro Retiro. Propiedad privada.» Sobre el camino de tierra que señalaba la flecha caía el sol de la tarde. A ambos lados del camino el campo se extendía suavemente. Sobre las colinas brillaba el cielo, tan azul como en un día de verano. Una alta tapia de piedra surgió ante nuestros ojos. Por enci-ma de ella se elevaban hacia el cielo azul, recortán-dose contra él, las copas de los árboles. El camino de tierra bordeó la finca y, después de una vuelta, nos condujo hasta la puerta de la verja que cerraba la finca. Una cadena de hierro oxidado y un enorme candado guardaban ese límite.

Alejandro detuvo el coche y, después de hacernos un gesto con la mano, pidiéndonos paciencia, descendió de él. Llamó al timbre y se quedó mirando la verja. Pasaron un par de minutos antes de que apareciera tras ella un hombre mayor de piel muy curtida y andar encorvado que llevaba una llave de hierro de considerable tamaño en la mano. Durante unos segundos la observó, como si no supiera qué hacer con ella. Luego miró a Alejandro y se intercambiaron un saludo. El hombre, al fin, introdujo la llave en el candado y después los dos se aplicaron a la tarea de empujar hacia dentro las hojas de la puerta. Parecían hablar mientras, algo agachados, empujaban.

De nuevo en el coche y traspasado ya el límite de la finca, dijo Alejandro a Félix mientras agitaba su mano en un gesto de adiós:

—Es el padre del chófer, el que puede prestarte la Lambretta.

Estábamos en medio de un bosque. Pinos, cedros, hayas, robles, magnolios y árboles cuyo nombre yo ignoraba nos rodeaban.

—El tío Héctor, el padre de mi tía Carolina, hizo traer árboles de Oriente —nos informó Alejandro—. En El Saúco todos se sienten orgullosos de «Nuestro Retiro» y hablan de la finca como si fuera propiedad del pueblo, aunque la mayoría no la haya visitado nunca. Era el típico indiano que se propuso deslumbrar a sus vecinos. Cuando murió, su mujer se convirtió en una especie de institución. Ocupaba un puesto de honor en los actos oficiales, las fiestas, esas cosas. Pero todos los lazos con el pueblo se cortaron cuando ella murió. A la tía Carolina no le gusta salir de casa. Ahora veréis la casa, en cuanto pasemos la curva.

Era imposible no verla. Era enorme y majestuosa, aunque sus muros estaban desconchados. Tenía a su alrededor profusión de balaustradas, terrazas, escaleras, torreones. Tal y como Alejandro había anunciado, era la típica casa del indiano hecha con el firme propósito de impresionar y deslumbrar.

Salimos del coche y entramos en la casa sin necesidad de llamar a ningún timbre, porque la puerta estaba abierta. El zaguán se correspondía con la fachada de la casa. Había muebles de diferentes estilos, macetas de cerámica chillona, una enorme lámpara de cristal de Venecia y un par de tapices con escenas campestres colgados de las paredes. Y un aire inconfundiblemente indiano en todo: en el mimbre pintado de blanco de los sillones, en las palmeras que surgían de los grandes tiestos de colores, en las esterillas de esparto delante de las puertas. Todo parecía estar concebido para luchar contra el calor que sin duda en El Saúco sería insoportable durante los meses de verano, pero me pregunté qué impresión causaría toda esa decoración en invierno, que debía de ser riguroso en la región. En aquel zaguán se estaba a salvo de un calor abrumador y eterno. Uno sentía que en el exterior los rayos del sol cegaban, aniquilaban.

Podía imaginarse al propietario de la casa, recién llegado de las Indias, obsesionado con la idea de vivir a resguardo del sol. Se podían leer sus gustos y sus aspiraciones en el mobiliario y en la mezcla de estilos que se habían seguido para edificar la casa. A pesar de su gran magnitud y de sus pretensiones de grandiosidad, había algo conmovedoramente inocente y modesto.

Una joven, vestida con una bata azul de trabajo, apareció en el zaguán y saludó tímidamente a Alejandro.

—Las señoras están en la galería.

—Muy bien. Iré a verlas. Entretanto, enséñales los cuartos a los invitados —dijo Alejandro, en un tono autoritario y paternal, de dueño de la casa.

Alejandro desapareció por una puerta. La chica se inclinó para coger nuestras bolsas de viaje, pero tanto Félix como yo las recogimos antes. Levemente desconcertada, la chica empezó a subir las escaleras. Entonces vi que Félix la miraba. Seguía los pasos de la chica sin apartar los ojos de ella. Y había razones para mirarla. El pelo, castaño, rizado y muy brillante, se balanceaba sobre su espalda, recogido en una goma de colores. La chica, de espaldas, era sencillamente perfecta. En lo alto de las escaleras se volvió hacia nosotros en un gesto instintivo, como si quisiera comprobar que la seguíamos. Los rasgos de su cara eran sumamente correctos, el color de su piel muy blanco, pero su expresión no era alegre. Una sonrisa podía cambiar esa cara, pero no sonrió.

Abrió una puerta y dijo a Félix:

—Su habitación.

Félix seguía mirándola mientras entraba en su cuarto. La chica bajó los ojos, murmuró algo y siguió adelante. Abrió otra puerta.

—Ésta es la suya —dijo, y entró conmigo.

Descorrió las cortinas y abrió el balcón. Me mostró la puerta que daba al cuarto de baño y me preguntó si necesitaba algo más. Podía ayudarme a deshacer el equipaje. Yo sólo tenía una bolsa de viaje. Le di las gracias y se despidió.

Me serví agua de la jarra que reposaba sobre el mármol de la mesilla y me asomé al balcón, que estaba situado en la parte de atrás de la casa y daba a un gran jardín. Estaba algo descuidado pero era un jardín diseñado según los cánones de la jardinería francesa. Nada faltaba en él; entre los parterres, que formaban dibujos geométricos y que hubieran necesitado una poda, divisé un estanque, una pérgola, bancos de piedra entre los senderos y, más a lo lejos, una gran jaula vacía. El sol estaba descendiendo y los árboles eran ya oscuras manchas de color que destacaban contra el azul cobalto del cielo. No se escuchaba el ruido de ninguna voz humana, sólo el alboroto que producían los pájaros y, a lo lejos, el rumor de un motor en marcha.

Alguien golpeó la puerta. Era Alejandro. Paseó una mirada de satisfacción por el cuarto.

—He dicho que te instalen aquí porque es el cuarto que más me gusta. El tío Héctor lo llamaba el cuarto de huéspedes, pero él mismo lo ocupaba muchas veces. La tía Carolina lo ha conservado exactamente igual. La verdad es que la casa apenas ha cambiado. Pero se han ido añadiendo cosas. El administrador es muy aficionado a las antigüedades y conoce a todos los chamarileros de la zona. No sé si te has fijado en la cantidad de aparadores, cómodas y arcones que hay en los pasillos y en el zaguán. Antes estaban casi desnudos.

Se sentó en una butaca, dueño de la situación, satisfecho de su papel de anfitrión.

—Verás a mi madre y a la tía Carolina a la hora de la cena. Me han pedido que os salude de su parte. —Me miró, pensativo—. Me pregunto cuál de las dos te reconocerá primero. Han visto la foto muchas veces, aunque no tantas como yo, desde luego.

Cualquiera que le hubiera escuchado hubiese creído que yo era una conocida actriz, una mujer famosa. Pero parecía tan convencido de que yo era alguien en aquel apartado lugar del mundo, que no repliqué.

Un par de horas más tarde, alrededor de la mesa del comedor, pude contemplar a mi satisfacción la hermosa figura de la madre de Alejandro y la más vulgar pero más imponente de la tía Carolina. Su madre tenía cierto aire místico. Era rubia e iba vestida de negro. Lo miraba todo desde lejos y uno sospechaba, mirándola, que no aguantaría mucho tiempo allí y que en alguna parte indeterminada del mundo la esperaba otro tipo de vida.

Al otro lado de los candelabros de plata, de los pájaros dorados que adornaban la mesa, del centro de flores y de la línea de copas, la tía Carolina se movía parsimoniosamente, concentrada en la operación de manejar los cubiertos sobre el plato. Desde su barricada, nos lanzaba miradas indiferentes. Llevaba un traje de seda negro sobre el que resaltaban gruesas cadenas de oro y que reposaban blandamente sobre su pecho como descansan las joyas sobre un cofre almohadillado. Sus manos, blancas y brillantes, eran un muestrario de anillos de oro. Tenía el pelo completamente blanco, recogido en un moño, a la moda de muchos años atrás. No tenía edad. Se había inmortalizado: parecía el modelo de algo.

El administrador estaba sentado a la mesa con nosotros. Hablaba poco y en voz baja y pausada, parpadeaba al mirar a su interlocutor y asentía rápidamente a cualquier comentario que se le hiciese, fuera apoyando o refutando sus palabras. La dueña de la casa no lo miró durante toda la cena y en las pocas ocasiones en las que él dejó oír su débil y respetuosa voz ella se concentró aún más en su plato, en un gesto que parecía deliberado. Había concedido a su administrador el privilegio de compartir aquellos momentos rituales pero no pasaba de ser un privilegio y no había que confundirse. Ése no era, en el fondo, su sitio. Y, curiosamente, me recordó de pronto a Aziz, tal vez por su común relación con el negocio de las antigüedades, y porque los dos eran delgados, bajos y demacrados. Pudiera ser que ese aire de fatiga que los dos tenían fuera algo inherente al comercio de las antigüedades.

Después de la cena, pasamos al salón y observé que el administrador no pasó con nosotros, aunque no se despidió formalmente. Simplemente, no estaba allí. Fue entonces cuando la madre de Alejandro, con la taza de la infusión entre las manos, me miró fijamente.

—Me recuerdas a alguien —dijo—, te debes de parecer a alguien que conozco. Llevo un rato dándole vueltas.

—Aurora conoce a la señora Holdein, la institutriz alemana de la tía Carolina —dijo Alejandro, dispuesto a contar toda la historia de las fotos, pero fue la tía Carolina quien lo interrumpió, ante la mención de la señora Holdein.

—¡Pobre mujer! —exclamó—. Estuvo visitándome hace poco. Hacía años que no la veía. De no haber estado advertida de su llegada, no la hubiera reconocido. No se casó y anda por el mundo como alma en pena. Fue una mujer muy vistosa. Cuando estuvo en nuestra casa, la gente del pueblo venía a verla. Tenía un pelo que parecía de oro —dijo, acariciando las gruesas cadenas de oro que pendían de su cuello—. Mi padre lo decía siempre: hay que saber envejecer —concluyó.

Alejandro aprovechó su silencio para hablar de las fotos y de la coincidencia que nos había hecho conocernos.

—Muy curioso, sí —dijo la tía Carolina, sin convicción, e inmediatamente fijó su atención en Félix, que había seguido el relato de Alejandro con gran atención.

—¿Cómo has dicho que te llamabas? —preguntó, sin aguardar respuesta—. ¿Qué tal lees?

Félix le devolvió una mirada desconcertada.

—Me gusta que me lean en voz alta —dijo nuestra anfitriona, a modo de explicación—. Si te vas a quedar unos días aquí, hay que buscarte alguna ocupación. Los días son largos y es bueno tener algo que hacer. ¡Tengo ganas de volver a escuchar la lectura de esa novela tan estupenda! —suspiró—. Hace mucho que nadie me lee. Mira —dijo, alzando su mano y apuntando con el dedo índice hacia una vitrina llena de libros—, está allí, en el segundo estante. Es el libro naranja y azul. Cógelo, por favor. Vamos a hacer una prueba.

Félix se levantó, abrió la vitrina y cogió el libro.

—Muy bien —dijo la tía de Alejandro—, te escucho.

Félix se sentó con el libro abierto. Su voz se alzó, clara y potente:

—«1801: estoy de vuelta después de haber hecho una visita al propietario de mi casa, único vecino que pueda preocuparme. En realidad, este país es maravilloso. Yo no creo que en toda Inglaterra hubiese podido encontrar un lugar más apartado del mundanal bullicio. Es el verdadero paraíso para un misántropo; y el señor Heathcliff y yo parecemos la pareja más adecuada para compartir este desierto. ¡Qué hombre magnífico! De seguro se hallaba lejos de imaginar la simpatía que me inspiró al sorprender cómo sus ojos se hundían en sus órbitas, llenos de sospechas, en el mismo instante en que yo detenía mi caballo, y cómo sus dedos se escondían con huraña resolución aún más profundamente en su chaleco, cuando le dije mi nombre.»

Félix levantó los ojos hacia la tía de Alejandro.

—¿Sigo? —preguntó.

—Ya es bastante, gracias —dijo ella, con voz satisfecha—. Lo has hecho muy bien.

Nuestra anfitriona nos dirigió una mirada de superioridad, como si estuviera instalada en una tarima o en un púlpito.

—No hay novela comparable a ésta —dictaminó. Algo más condescendiente, volvió a señalar la vitrina—. Es la biblioteca de mi madre. Se pasaba las tardes leyendo, hasta que perdió la vista. Araceli se ofreció entonces a leerle en voz alta. Tiene una voz estupenda, y mucha entonación. Para mi madre, ése era el mejor rato del día. Se pasaba el día esperándolo.

La tía Carolina agitó una campanilla y la joven que nos había acompañado a nuestros cuartos apareció en el salón, vestida con un uniforme negro de raso y el pelo recogido, esta vez anudado con un lazo también negro. Ayudó a la señora a levantarse y le ofreció su brazo, mientras ella murmuraba:

—Es hora de retirarse. En los pueblos nos acostamos muy pronto.

Desde la puerta, sin muchas ceremonias, nos deseó las buenas noches.

Nos habíamos levantado y habíamos contemplado su lento desfile por el cuarto. Nuevamente vi los ojos de Félix prendidos en la chica.

—Voy a tomar una copa —dijo Alejandro, dirigiéndose hacia un armario que resultó ser un mueble-bar— ¿Qué queréis tomar?

Convertido de nuevo en nuestro anfitrión, pidió hielo y preparó las copas. Sirvió a su madre una copa de anís, sin preguntarle nada, y en el momento en que se inclinó sobre ella para dársela, vi que sus miradas se cruzaron, confiadas y cómplices. Los envidié.

Tomamos aquella copa y al fin la madre de Alejandro se levantó y nos deseó las buenas noches. Alejandro volvió a sentarse en su butaca y perdió sus ojos en la pared de enfrente. Su mirada no guardaba ninguna semejanza con la mirada huraña y desconfiada de Heathcliff, ni aquel cuarto era en absoluto parecido al que había habitado Heathcliff. Pero el aire enrarecido de la novela cuyo inicio acababa de ser leído en voz alta se había quedado flotando sobre nuestras cabezas. Y deseé tener las dotes de observación del viajero Lookwood y su capacidad para escuchar serenamente apasionadas historias.

Al día siguiente, después del desayuno, conocimos a Araceli, que había iniciado las lecturas en voz alta en aquella casa. Estaba con la madre de Alejandro en la galería, una prolongación acristalada del cuarto de estar, que rebosaba de plantas y estaba protegida del sol por cortinas de estampado de flores. En medio de tanto color, Araceli no desentonaba. Era difícil decidir qué parte de su atuendo o su maquillaje era más llamativo. Se podía empezar por el pelo rojo o por la sombra morada de sus ojos, o por los zapatos verdes. Se levantó de un salto en cuanto nos vio y dio dos besos a Alejandro. Luego a mí. Me preguntó qué me parecía la casa. Fue la única persona en «Nuestro Retiro» que me hizo algo de caso.

Pero no me dio mucho tiempo a comunicarle mis impresiones, porque la dueña de la casa hizo su aparición y centró todas las atenciones. Seguía vestida de negro, pero con menos cadenas de oro sobre su pecho. Araceli la abrazó como si hiciera mucho tiempo que no la veía, y alabó su aspecto. Sin embargo, en seguida comprendí que aquella visita era cotidiana y que seguramente se intercambiaban las mismas frases todos los días.

—¿Te vas a quedar a comer? —preguntó la tía Carolina.

—Hoy no puedo. Tal vez mañana —dijo Araceli, con acento apesadumbrado.

—Nunca puedes.

—Tengo mucho trabajo —replicó Araceli—. Y no tengo más remedio que trabajar. Tengo seis hijos y quiero que salgan de aquí. Ya me dirás qué futuro tienen en el pueblo. Pero mañana haré todo lo posible para quedarme. Mañana tengo la tarde libre.

Su amiga la miró con escepticismo.

—¿Y Félix? —preguntó Alejandro.

—Desayunamos juntos —dijo la tía Carolina con un deje de satisfacción en su voz—. Luego se fue al pueblo. Demetrio le prestó la moto.

Araceli nos miraba interrogante y la madre de Alejandro explicó que Félix era un amigo de su hijo que había venido a reponerse de una enfermedad. La tía Carolina añadió en tono satisfecho y algo retador que era un chico muy educado y que leía estupendamente, con mucha entonación. La madre de Alejandro me sonrió entonces y creí percibir cierto brillo irónico en sus ojos.

Abandonamos «Nuestro Retiro» después de comer. Nos despedimos de las señoras de la casa, encomendando a Félix a su cuidado, subimos al coche y emprendimos el camino de vuelta. Antes de dejar la finca, volví la cabeza. Félix estaba sentado en las escaleras de piedra, como el perfecto guardián de la casa. Sonreía al frente con mirada soñadora. Asomada a una de las ventanas del piso de arriba, vi a la doncella de la tía de Alejandro, con el cabello suelto sobre los hombros. Tenía la cabeza inclinada hacia abajo, sobre la escalinata de la entrada.

9

A MI VUELTA A MADRID, me esperaban malas noticias. De nuevo, más o menos unidas a las complicaciones. Mario me había llamado y me había dejado el recado urgente de que lo llamara. Cuando al fin pude hablar con él me comunicó una noticia dramática. Un coche había atropellado a Ángela en medio de la calle. Ángela, la funcionaria que, de vuelta de un congreso en Sri Lanka, había decidido pasar unos días en Delhi, donde la habíamos conocido aquel verano. Había muerto. Pero debía haber algo extraño en aquella muerte, algo más extraño que la muerte misma, porque la policía había abierto una investigación. A Mario ya le habían interrogado. Seguramente, de un momento a otro, me llamarían a mí. Debían de haber encontrado nuestras direcciones anotadas en alguna parte. Recordé que Ángela había sacado una agenda en el restaurante del hotel y que nos había pedido nuestros teléfonos.

Como si hubiera estado esperando a que Mario me diera el aviso, pocos minutos después de colgar el teléfono, la policía me llamó. Me citaron en el apartamento de Ángela, porque tenían mucho interés en saber si yo podía reconocer alguna de sus pertenencias. Le pedí a Mario que me acompañara. La policía nos abrió la puerta y nos mostró el pequeño apartamento en el que había vivido Ángela, a quien sólo conocíamos de conversaciones perdidas en un hotel, en una excursión, alrededor de la mesa de un restaurante. Nada era particularmente valioso en aquel apartamento. Había profusión de plantas, pero todo estaba ordenado y hubiera estado limpio de no haber sido cubierto por una capa de polvo. Era un apartamento que se limpiaba a conciencia y el polvo que en los últimos días se había depositado sobre todas las cosas no podía desacreditarlo. Una mano organizada y eficaz se había encargado siempre de mantenerlo ordenado e impecable. La policía nos hizo preguntas acerca de todo lo que vio. Reconocí algunos de los vestidos de verano y algunos objetos que recordaba habían sido comprados en los mercados de Delhi. Y la foto. Sobre la consola del dormitorio, una consola barata y algo desportillada, estaba la foto, enmarcada, de Ángela en la piscina del hotel de Delhi. Dije que algunos vestidos me resultaban familiares, que algunas pulseras y unas cajas de madera y metal podían haber sido compradas a la puerta del hotel, pero no dije nada de la foto. Fue una ocultación instintiva, que sobre todo me protegía a mí, o a mi sentimiento de pudor. Si les decía que aquella foto había sido sacada en mi presencia y que yo también había posado para su autora, querrían ver mi foto. Gracias a ella había encontrado a Alejandro, pero nada más. No quería que la foto me siguiera llevando de aquí para allá. Y no tenía ningún deseo de hablar de la señora Holdein. Mario tampoco dijo nada.

La policía agradeció nuestra ayuda y Mario y yo salimos a la calle. Entramos en un bar lo suficientemente alejado de la casa de Ángela.

—Es extraño, ¿no? —dijo Mario—. Parece que la policía busca una pista. ¿Crees que alguien ha podido asesinarla o que se trata de un suicidio? No creo que si pensara que se tratase de un accidente hiciera toda esta investigación. Apenas me acuerdo de cómo era. No hablé mucho con ella. Quién sabe cómo sería su vida. Debía de ser una persona muy ordenada, muy organizada y en toda la casa no hay nada sospechoso. No parece que tuviera nada que esconder. Pero tú la conociste algo más que yo.

—Me acuerdo de la conversación que tuvimos después de visitar el Taj Mahal —dije—. Hacía tanto calor que Ángela —temblé al pronunciar su nombre— casi se desmayó. El conductor del taxi nos llevó a un hotel para comer y recuperarnos. Nos empapamos de agua en el servicio de señoras. No puedes imaginar el calor que habíamos pasado y el poder refrescarnos fue estupendo. Estábamos tan cansados y sedientos que bebimos mucha cerveza y nos pusimos eufóricos. El matrimonio que venía de un congreso sobre algas marinas nos contó cómo se habían conocido. Ángela —de nuevo temblé— dijo que le gustaba tener muchas cosas que hacer y que realizaba trabajos suplementarios por las tardes: traducciones, informes, esas cosas. No soportaba el vacío. Vivía sola, dijo, y cuando uno vive solo tiene que estar siempre muy ocupado. Dijo eso o algo parecido. La comprendí muy bien pero me inquietó que insistiera tanto. Resultaba algo angustioso, algo patético. No se puede ir por la vida confesando tus temores.

—Tú no lo haces, ¿verdad? —me preguntó Mario, y su tono de voz me hizo dudar.

—¿Crees que lo hago o que no lo hago?

—¿Te importa mucho lo que piense yo?

Era la primera vez desde el verano que tomábamos una copa juntos. Tenía que hablarle de la foto de la señora Holdein y de Alejandro, pero en aquel momento, después de ver la foto de Ángela en el apartamento vacío y cubierto de polvo, y en su compañía y en la de la policía, no quise que ambas cosas quedaran ligadas. Primero le hablé de Alejandro.

—Un pintor —dijo Mario—. Vas progresando.

Entonces cambié de conversación.

—¿Te has fijado en la foto de Ángela, el marco que había sobre la cómoda?

—No mucho. Creo que era un primer plano, ¿no?

—No podía verse lo que había detrás, pero esa foto fue tomada en la piscina del hotel de Delhi.

—¿Cómo lo sabes?

—Porque yo estaba allí cuando la hicieron. Y yo tengo una muy parecida. Tengo varias. Las sacó la señora Holdein. Nos pidió permiso para sacarnos retratos, dijo que nuestras caras eran muy interesantes. Me fastidió pero no me pude negar. Hace unos meses la señora Holdein vino a España a visitar a una amiga, me llamó y vino a verme a casa, y me trajo las fotos. Por lo que he visto hoy, también se vio con Ángela y le dio las suyas. —Me callé, no quería rememorar la visita de la señora Holdein.

—¿Por qué no se lo has dicho a la policía? —me preguntó Mario y vi que había desconfianza en sus ojos.

—Nunca me gustó la señora Holdein, pero no se me ocurre qué relación pueda tener con la muerte de Ángela. ¿Crees que debería decírselo?

—Nunca he estado envuelto en una investigación criminal, pero no parece que eso sea muy agradable y no creo que ese asunto de las fotos tenga mucha importancia. Haz lo que quieras.

Miró su vaso y dio un largo trago. Sus palabras me aliviaron. No había por qué dar tanta importancia al asunto de las fotos. Detrás de ellas, estaba la señora Holdein, y Alejandro, la tía Carolina, El Saúco, y hasta Félix. Mi propia cadena de casualidades, desde *Norma* a *Fitzcarraldo*. Me prometí que si se producía otra casualidad, una casualidad de características más objetivas, algo que pudiera tomarse como prueba, como pista, llamaría a la policía.

Enseñé a Mario mi pulsera, el brazalete de plata ancho y liso que rodeaba mi muñeca.

—Me lo trajo la señora Holdein —dije—. Ishwar le pidió que me lo diera.

—¿Has tenido noticias suyas? —preguntó Mario.

Negué con la cabeza y en aquel momento me pareció raro que Ishwar me hubiera enviado ese regalo a través de la señora Holdein y que no se hubiera molestado en escribirme una carta explicándome, al menos, el significado de la inscripción y del dragón, aunque sé que hay personas para quienes escribir una carta supone un esfuerzo insoportable y no me parecía descabellado suponer que Ishwar era una de esas personas.

Más tarde, le comenté a Alejandro nuestra visita al apartamento de Ángela y mi reacción instintiva de no mencionar a la autora de la foto de Ángela que descansaba, enmarcada, sobre su cómoda. Alejandro conocía las fotos de Ángela, olvidadas, junto a las mías, en el cajón de la cómoda de su cuarto de El Saúco. Pero él tampoco dio mucha importancia a ese detalle. Y yo no volví a tener noticias de la policía ni leí en los periódicos nada relativo a la muerte de Ángela. Algunas veces me pregunté si Ángela no habría vivido, al darle la señora Holdein las fotos, una escena semejante a la que yo viví o padecí y que detestaba recordar: cuando la señora Holdein, aprovechando la desaparición de mi madre, se había inclinado hacia mí y con voz temblorosa y mirada de entusiasmo me había pedido que la acompañara a Toledo.

Los días se hacían cada vez más largos. Cuando salía por las tardes de mi oficina, las calles estaban todavía bañadas en luz natural. Una de aquellas tardes, mientras andaba lentamente, disfrutando de ese alargamiento de los días, deteniéndome ante los escaparates y observando a la gente que se cruzaba conmigo, vi a mi hermana Raquel. Venía sola y parecía ensimismada. Hacía tiempo que no nos veíamos. Solía venir a comer a casa un día a la semana, pero últimamente no habíamos coincidido. Cuando la llamé por su nombre, me miró un poco asombrada, como si nunca hubiera esperado encontrarme por la calle. Le expliqué que mi oficina estaba muy cerca. Ella me dijo que había salido de compras. Me llevaba doce años y su vida había quedado siempre fuera del alcance de la mía, no sabíamos mucho la una de la otra y, repentinamente, allí estábamos, hablando en medio de la calle, en medio de una corriente de personas que pasaban a nuestro lado, en las dos direcciones, empujándonos.

—Iba a tomarme un café —dijo—. ¿Me acompañas?

Señaló una cafetería mientras yo asentía. Empujó la puerta giratoria y se dirigió a una mesa.

—Qué casualidad, ¿verdad? —dijo, mientras colocaba sobre el asiento las bolsas de cartón brillante de sus compras—. Nunca salgo de compras y cuando salgo nunca vengo por este barrio, pero hay muchas tiendas, es muy animado.

Pasamos revista a los problemas familiares. Hablamos del tío Jorge, de su mujer, Sofía, y de ese muchacho a quien yo había dejado en El Saúco hacía un mes escaso. Y, también, de la reacción de nuestra madre, que había transformado radicalmente su veneración por su hermano en un continuo reproche.

Pidió un café con leche y una tostada, y cuando llegaron, extendió despacio la mantequilla y la mermelada sobre la tostada y, antes de llevarse un pedazo a la boca, lo empapó bien en el café con leche.

—Ya sé que es de mala educación —dijo—, pero no puedo tomarme el pan sin mojarlo en el café con leche. ¿Qué tal con tu novio? —me preguntó repentinamente.

—Le llevo seis años —dije.

—Y yo te llevo doce —rió—. Eso son cosas que un buen día dejan de tener importancia. Además, no significan tanto. Aunque supongo que tú has tenido más experiencias que yo. Al fin y al cabo, yo me casé muy joven. He vivido siempre con Alfonso. En cambio, tú, cada vez que te veo, tienes un novio distinto. Ni siquiera se llaman novios ya.

—No tengo ninguna intención de casarme —dije.

Se encogió de hombros.

—Haces bien —murmuró, llevándose otro pedazo de tostada a la boca. Luego, me miró con curiosidad—. ¿Sabes una cosa? No pensaba decírtelo, pero tampoco tiene sentido callármelo. Me enteré de lo de Fernando Urruti. Ya sabes que fue compañero de colegio de Alfonso, pero no me enteré por Alfonso, él no lo sabe. En fin, me alegro de que eso se haya acabado. No me gustaba mucho.

—A mí tampoco —dije.

—¿Y qué fue de ese otro chico, Mario, ese con el que te fuiste de viaje el verano pasado? A mamá le gustaba mucho.

—A mamá le gustan siempre mis novios, los que llega a conocer. A Mario le veo de vez en cuando. Somos buenos amigos.

—¿Sólo amigos? ¿Crees que se puede tener sólo amistad con un hombre?

—No es exactamente como con una mujer, es otra clase de amistad, tiene otros matices.

Lo cierto era que entre Mario y yo, hacía años, había habido un episodio que no debía de haber sido ni perfecto ni estimulante, sino que había señalado un camino cerrado, infructuoso, y que se había ido envolviendo en brumas, hasta ser olvidado, estoy segura, por los dos. Y tal vez por eso, por ese común acuerdo tácito que implicaba una falta de tensión entre nosotros, la clase de tensión que se supone existe entre un hombre y una mujer, podíamos ser amigos. Nos habíamos dedicado a fomentar nuestras afinidades, dejándonos llevar por el instinto, sin seguir ningún plan, y los dos sabíamos que al pertenecer a diferentes sexos nuestra amistad significaba cierto dominio de lo desconocido; recibíamos apoyo de fuerzas no del todo controladas, y eso hacía que nuestra amistad tuviera todavía un matiz de riesgo.

Raquel miraba, pensativa, la servilleta de papel que tenía entre sus dedos.

—De todos modos —dijo—, aunque Fernando no me gustaba, la historia me resultaba atractiva. Casi me daba envidia. Un amor clandestino —suspiró—. Mi vida es tan vulgar. El mes pasado hizo veinte años del día de mi boda. Es absurdo dar un significado a los aniversarios, pero no pude evitar pensar un poco. Me sorprendí haciendo un recuento y un recuento algo negativo —sonrió, disculpándose—. Me siento atrapada. Tengo cuarenta y cuatro años y mi vida está completamente encauzada. Dejé de trabajar cuando el primer embarazo y ya no encontraría ningún trabajo. Si quisiera cambiar mi vida no tendría fuerzas, ni la suficiente convicción. Realmente, no quiero cambiar mi vida porque no creo que haya nada mucho mejor, pero esto cada vez me gusta menos.

Me miraba interrogante y puede que un poco temerosa de no ser comprendida, pero ella tenía que saber que yo nunca había sentido demasiada simpatía por Alfonso.

—Supongo que te casaste demasiado joven —dije.

—Por aquella época, casarse era la única forma de marcharse de casa. Fui yo la que se empeñó en casarse. Estaba harta de tener que dar explicaciones en casa, de tener que decir adónde iba y con quién, a qué hora iba a llegar. Para ti las cosas han sido más fáciles. Te ha tocado otra época y en cierto modo yo te allané el camino. Lo curioso —siguió— es que no he dejado de dar cuentas de mi vida. Cambié a los padres por Alfonso. Él opina sobre mi vida constantemente. Está siempre allí, exigiendo y controlando. La realidad resulta ser muy distinta a lo que habíamos imaginado, por tópico que sea decirlo. Estaba enamorada de Alfonso cuando me casé y pensaba que nuestra vida sería muy distinta a la de muchas parejas aburridas que conocía. Supongo que eso es lo que piensa todo el mundo. ¿Sabes ahora cuándo soy más feliz? —me miró, expectante, aunque no esperaba ninguna respuesta—. Cuando Alfonso se va de viaje. Cenamos a la hora que nos apetece. Cada cual se prepara lo que quiere. Nos llevamos la comida al cuarto de estar y cenamos mientras vemos la televisión.

Sonrió, contemplando en su interior esa escena de desorden en la que no era probable que hubiera soñado en su juventud y que había ido cobrando un carácter simbólico hasta constituir la mayor de sus satisfacciones.

—El otro día fui al médico —siguió—. Recuerdo que tú, de pequeña, ibas mucho al médico. En realidad, siempre has sido pequeña para mí, siempre te he conocido pequeña. Quiero decir que cuando yo vivía en casa, eras pequeña. Recuerdo que ibas, o te llevaban, al médico con mucha frecuencia. Siempre estabas yendo al médico, por una cosa o por otra. Recuerdo perfectamente a mamá preparada para salir y llevarte a las consultas. Siempre te pasaba algo. Pero a mí nunca me pasaba nada. He estado siempre perfectamente sana. Y la verdad es que te envidiaba por esas enfermedades que hacían que todos vivieran pendientes de ti. En tu mesilla siempre había muchas medicinas y en la mesa te ponían una comida especial y había que tener cuidado de no despertarte cuando al fin te quedabas dormida a la hora de la siesta —hizo una pausa, miró al fondo de la taza—. El caso es que me decidí a ir al médico, porque me sentía muy mal, deprimida, baja de moral, esas cosas. Un psiquiatra —precisó—. Tuve una entrevista con él. Me sorprendió que fuera tan joven, más joven que yo o de mi misma edad. Me hizo una serie de preguntas y empecé a hablar, a contarle mi vida, como nunca lo había hecho. Era media tarde y desde su piso, muy alto, se veían los tejados de las casas, la cúpula de una iglesia, algún que otro templete de esos que rematan algunos edificios. Una luz dorada caía sobre las casas y sobre el lejano pinar de la Casa de Campo. No sé cómo sucedió, pero me emocioné. Pensé que la vida era estupenda y que yo no sabía apreciarla ni disfrutarla, que no tenía la capacidad para eso, aunque recordaba que alguna vez la había tenido. Tuve que contener las lágrimas tragando mucha saliva. Te va a parecer absurdo, pero la idea de marcharme de allí me parecía insoportable. Naturalmente, él se dio cuenta de mi decaimiento y trató de darme ánimos. Me dijo que yo estaba en una edad perfecta, la mejor de la vida, porque ya tenía perspectiva suficiente para desechar lo malo y quedarme con lo bueno y que no había nada raro en lo que le había contado, y que mi personalidad, la estructura de mi carácter y mis razonamientos eran fundamentalmente equilibrados. Podía verle a él siempre que quisiera, podíamos hablar si eso me ayudaba, pero no le parecía necesario someterme a un tratamiento o una medicación especial. Lo que me sucedía era natural.

Raquel suspiró. Terminó el café con leche.

—Cuando nos despedimos, me miró de una manera muy rara, muy profunda. Hacía tiempo que nadie me miraba así. Y dijo de nuevo que esperaría mi llamada. No le he llamado, pero tal vez lo haga —dijo, con cierta decisión—. Nunca he salido con un hombre que no fuera Alfonso. Pienso mucho en ese rato que pasé en su consulta y en la luz dorada que caía sobre los tejados. Me lo imagino mirando el atardecer y pienso que en algún momento él también pensará en mí.

—Hablas como si estuvieras enamorada.

—Es un amor platónico —dijo—. Me gustaría llamarle para hablar, para tener un amigo, para sentirme comprendida. ¿No decías que es posible la amistad entre un hombre y una mujer?

Miró su reloj. Había anochecido tras los cristales de la cafetería. Mi hermana sacó su billetero antes que yo, esperamos a que el camarero nos trajera la vuelta y nos pusimos en pie. Echamos a andar a lo largo de la calle.

—Cogeré un taxi —musitó—. Se me ha hecho muy tarde. Pero ha sido estupendo encontrarte.

Me dijo adiós desde dentro del taxi. Rodeada de paquetes y bolsas, protegida por la carrocería del coche, parecía una ilustre visitante que saluda al pueblo anfitrión. Anduve bajo la luz de las farolas hacia mi casa.

Habían pasado veinte años desde el día en que Raquel había salido de casa para vivir con Alfonso. Se metió en el ascensor con su traje blanco de raso y se miraba al espejo cuando mi madre cerró las puertas. Mi madre me miró, abatida, nada convencida de que su vestido le sentara bien. A mí tampoco me gustaba mi vestido. El único que parecía un poco satisfecho era mi padre, con su elegante traje oscuro y su corbata gris perla. Y, como él se veía mejor de lo que nosotras nos veíamos, pudo decir que estábamos muy bien. Tuvo que decirlo varias veces.

—Está sola en el portal —dijo de repente, y se fue corriendo, perdiendo un poco de elegancia, hacia el otro ascensor.

Ésa fue la escena que se reprodujo en mi mente después del encuentro con Raquel. Aquella absurda sensación que habíamos sentido mi madre y yo de ir mal vestidas y las frases consoladoras de mi padre. Los tres, en suma, paralizados ante la puerta abierta de nuestra casa mientras el ascensor bajaba con Raquel dentro. Una escena un poco simbólica.

Me quedé pensando en aquel elemento nuevo: la envidia de Raquel. Cuando abandonó nuestra casa con la mirada fija en el espejo del ascensor y mi madre y yo, inseguras y desilusionadas, nos sentimos poco favorecidas en nuestros trajes recién estrenados, yo había pensado que se marchaba hacia el paraíso, hacia una tierra prometida e ignorada que escapaba a mi imaginación. A lo largo de los años, no había vuelto a pensar en esa tierra prometida, y aunque en cierto modo sabía por qué —la vida de Raquel no parecía ni mucho menos magnífica— no me había detenido a analizar la razón de su posible desencanto que tampoco creía tan profundo. Mi madre, que desde que Raquel se fue de casa siempre que hablaba de ella anteponía el calificativo de «pobre», y así Raquel entre nosotros se convirtió en «la pobre Raquel», parecía haber intuido, más que yo, esa desilusión.

Así que la situación parecía haberse invertido y ahora era Raquel quien me envidiaba a mí y recordaba mis lejanas enfermedades, mis visitas al médico y los cuidados de mi madre, rememorándolas como privilegios. Y pensaba que mi vida era más interesante que la suya, porque yo no estaba atrapada, yo siempre tenía un novio, según su terminología, distinto.

Bien sabía yo cómo acababan esas experiencias y qué cúmulo de desencanto iban dejando en mí, qué significaba volver a casa después de un rato de amor sin encontrar nada nuevo en mí, sólo una sensación de vacío, y la remota conciencia de que alguien había sido engañado, porque nunca se alcanzaba la igualdad, porque ni siquiera yo era capaz de ofrecer lo que hubiera pedido siempre del otro, sea lo que fuere. Un juego de malentendidos y de desconcierto que trataba de apartar de mi mente al cabo de unas horas o unos días, para tratar de vivir sin analizar mis sentimientos, sin dejarme hundir por ellos, porque sabía que era mejor seguir buscando, sin esperanza alguna, pero seguir buscando, o vivir como si siguiera buscando, de forma que todavía no estaba a salvo de nada, porque la única conclusión a la que había llegado es que la desesperación no puede combatirse, al menos, esa clase de desesperación y esa clase de combate, que nacen de saber que, por debajo del vacío que se siente en cada regreso a casa después de un rato de amor, está el vacío del que nunca se puede marchar, del que nunca consigue avanzar hacia el otro, del que avanza más por huir que por convicción. Pero, seguramente, en la imaginación de Raquel, mis aventuras o mi sucesión de novios debían de obedecer a un sentido feliz de la vida, una capacidad para enredarme en la vida de los demás y compartir con ellos el placer, obtener y ofrecer comprensión, apoyo y estímulos.

Y, sin embargo, en un nuevo zig-zag de la envidia, después de dejarla aquel atardecer, rodeada de las bolsas de sus compras, la volví a envidiar, porque su vida, que a ella le parecía triste, sin sentido y sin esperanzas, según hubiera definido un novelista ruso, había dado paso, repentinamente, a ese momento que había evocado en la cafetería: cuando había contemplado los tejados de Madrid con la Casa de Campo al fondo, bañados en la luz dorada de la tarde, y había sentido nostalgia por todas las cosas perdidas.

MI MADRE había vaticinado que tarde o temprano su hermano tendría que reaccionar. Y así sucedió, de forma que la historia se repitió, no exactamente igual, pero muy parecida. Hubo despliegue de llamadas telefónicas y al fin el tío Jorge apareció en casa con la intención de ir a recoger a Félix a El Saúco. No iba a quedarse a dormir en casa, pero vendría a cenar.

—Al fin ha reaccionado —dijo mi madre—. Sabía que tenía que cambiar. No podía pasarse toda la vida comportándose como un niño mimado. Tiene que afrontar sus responsabilidades. Al parecer, Sofía está decidida a dejar de beber. Se va a someter a una cura de desintoxicación. Es la primera vez que me dice que Sofía bebe, la primera vez que llama a las cosas por su nombre. No estaba preparado para esto, pero está reaccionando, al fin está reaccionando.

Le debía de parecer una cosa tan saludable que decidió celebrarlo. Encargó la cena y llamó a Gisela para que la ayudara a poner la mesa y a prepararlo todo.

—A Jorge le gustan estas cosas —decía, mientras colocaba las copas sobre el mantel, haciéndolas tintinear ligeramente.

Me perdí el inicio de esa recepción, porque empezaba a estar cansada de tanta reunión familiar. Mi casa se había convertido en una especie de reserva de los principios de solidaridad familiar. Huí de aquel conciliábulo, ya que al día siguiente debía enfrentarme a otra escena casi peor en El Saúco, y no podía dilapidar mis fuerzas.

Cuando llegué a casa, los platos estaban medio vacíos y de las dos botellas de vino compradas por mi padre no quedaban más que los envases. Pero la reunión estaba en su mejor momento. Todos, mis padres, Gisela y el tío Jorge, estaban un poco arrebolados y me recibieron con entusiasmo, sin reprocharme que me hubiera excusado por no asistir a aquella cena de reencuentro. El tío Jorge volvió a expresarme su gratitud. No sólo le había ayudado a resolver un problema difícil, sino que gracias a mí, estaba de nuevo allí, con su hermana, como en los viejos tiempos. Pero hubieran recibido con entusiasmo a cualquiera que hubiera aparecido por la puerta. Se sentían llenos, desbordados de simpatía y comprensión, lo que era resultado de las botellas de vino, los licores, y sus ganas de encontrar algo bueno en la vida, algo de lo que no quejarse. Un jarrón con rosas rojas descansaba sobre la repisa, junto a la mesa camilla. Sin duda, el tío Jorge se había presentado con él.

—Tengo miedo de que nos guarde rencor —me dijo el tío Jorge, refiriéndose a Félix—, de que sea demasiado tarde. Quiero explicárselo bien, quiero hablar despacio con él, todo el tiempo que haga falta. Estamos decididos a reparar nuestro descuido. Ya sé que es imperdonable, pero quiero partir de cero. Ya te habrá contado tu madre que Sofía está mucho mejor. Tenemos que rehacer nuestra vida.

Estaba borracho, desde luego. Era la sinceridad arrolladora del borracho lo que lo hacía hablar.

Al fin, el tío Jorge se despidió y se ofreció a acompañar a su casa a Gisela, que, también con las mejillas rojas y el tono de voz excitado, no rechazó su ofrecimiento. Era varios años mayor que el tío Jorge y no era en principio sospechosa de querer conquistar a un hombre —aunque tampoco estaba, es cierto, completamente libre de toda sospecha—, pero, cuando desapareció dentro del ascensor en compañía de mi tío, me dejó con la impresión de que ciertamente la vida nunca se terminaba y que las ganas de vivir resurgían en los momentos más inesperados.

Mientras ayudaba a mi madre a recoger la mesa, tuve que escuchar sus comentarios sobre su hermano, unos comentarios que parecían eternos, que sonaban exactamente igual a todos los que había hecho con anterioridad, elogios o reproches.

—Su vida ha sido un infierno —decía—. Durante todos estos años Sofía llegaba a casa de madrugada, completamente borracha, se metía en la cama y no se levantaba hasta las cuatro de la tarde. Bajaba a la cafetería a tomarse un sandwich, luego se arreglaba y hacia las ocho se iba al bingo. —Impresionada por aquel programa de vida, enfatizó mucho el horario—. Así un día tras otro. Apenas se hablaban, apenas se veían. En esa casa no se ha comido, la nevera ha estado siempre vacía. Jorge come fuera, por supuesto, en uno de esos restaurantes económicos. Todo esto lo está arruinando, él nunca ha sido ahorrador, pero ahora tiene que hacer cuentas. Tendremos que ayudarle.

Pero no quería que la velada concluyera tristemente, con aquellas preocupaciones. Lo había pasado bien y quería guardar esa impresión. Despegó la espalda del aparador, desde donde contemplaba la cocina, ya recogida.

—En fin —dijo—, sigue siendo un hombre guapo. No puedes imaginar lo guapo que ha sido.

Y me miró como si me fuera a contar una historia increíble y tuviera que emplear todas sus dotes de persuasión para convencerme. Eran palabras que se quedaban en el aire, tendiendo un puente nostálgico hacia todos los bienes del pasado.

A las nueve en punto de la mañana del sábado bajé al portal. Alejandro me esperaba, sentado al volante de su coche y hojeando el periódico. Hacía una mañana soleada y limpia y no había apenas gente por la calle. Dejó mi bolsa en el maletero del coche, me senté a su lado y encendió el motor. Fuimos a recoger al tío Jorge, que había pasado la noche en un hotel que estaba acorde con el proceso irreparable de ruina que preocupaba a mi madre. En el pequeño y oscuro vestíbulo del hotel, en una bocacalle de la Gran Vía, nos esperaba mi tío, sentado en una butaca tapizada de plástico color verde. La chica de la recepción estaba hablando con él. Los dos se reían. Me saludó como si nos encontrásemos en la antesala del mejor hotel del mundo, cogió su bolsa y se despidió de la recepcionista con una inclinación caballerosa de cabeza, deseándole que pasara un fin de semana agradable.

—Adiós, Felicitas —dijo, jovial, desde la puerta—. La próxima vez que venga a Madrid me dirás que tienes novio, ya verás.

La chica se volvió a reír.

El tío Jorge iba vestido con ropa de sport, vieja ropa de sport, algo invernal: pantalón de mezclilla, camisa de franela, chaleco de lana gruesa y zapatos de ante. Su fidelidad a los cánones de la moda de su tiempo era irreductible y me conmovió. Me pregunté si con ese atuendo y sus modales de caballero no resultaba una figura un poco ridícula, incluso patética, pero la chica de la recepción lo había mirado sin ninguna ironía. Tal vez mi madre tenía razón, tal vez era todavía un hombre atractivo.

Alejandro bajó del coche para saludarlo y nuevamente mi tío hizo gala de sus modales casi decimonónicos.

—Mi mujer y yo te agradecemos muy sinceramente lo que has hecho por Félix —dijo—. Estamos en deuda contigo.

—No tiene importancia —dijo Alejandro.

Insistimos en que el tío Jorge ocupara el asiento de delante, pero se negó rotundamente.

—No quiero causaros más molestias. No tenéis que estar pendientes de mí. Además, me encanta viajar en el asiento de atrás.

Salimos hacia la carretera, e iniciamos el recorrido hacia El Saúco, como un mes antes lo habíamos hecho, con el asiento de atrás del coche ocupado por Félix. El tío Jorge era más hablador que Félix.

—Lo pasé muy bien ayer —dijo—. Tus padres están estupendos y Gisela sigue como siempre. Inamovible. Envidio su salud y su humor.

Miraba a un lado y a otro de la carretera.

—Qué cambiado está todo, cómo ha crecido esta parte de Madrid. Antes, nadie venía a vivir por aquí, no había nada. Sólo se salía a la carretera de El Arenal. Estaba de moda ir a tomar el aperitivo a los restaurantes y bares de la carretera. Todavía existen, ¿no? Tengo que traer a Sofía y enseñarle cómo era la vida de entonces. Cuando salga de la clínica pasaremos unos días aquí.

Encendió pausadamente su pipa y cambió de tema.

—Os confieso que estoy nervioso. No sé cómo va a reaccionar el chico. Supongo que no me tiene mucha simpatía, pero estoy dispuesto a ser paciente. Eso es lo que le quiero decir. Sofía y yo no hemos tenido hijos y quiero que él sea un hijo para mí. Quiero hacer todo lo que no hice, quiero recuperar el tiempo perdido. Ya sé que es tarde, pero quiero hacerlo.

A ratos se lamentaba, más o menos nostálgico, y a ratos se mostraba animoso y emprendedor. A través de su ropa deportiva, de su voz cascada, de su pelo casi completamente blanco, se podía palpar su fragilidad, consecuencia seguramente de aquellos privilegios con que le habían obsequiado desde niño.

Llegamos a El Saúco al mediodía. Nos detuvimos frente a la puerta de la verja y volví a contemplar la escena de la súbita aparición de Demetrio y su lenta reacción antes de decidirse a abrir la pesada puerta de hierro forjado. Alejandro, en aquel gesto que debía de haberse repetido muchas veces, lo ayudó y al fin el coche rodó por el sendero de tierra, entre los magníficos árboles que habían sido traídos de todas las partes del mundo para satisfacción del indiano y admiración de todo el pueblo.

El tío Jorge los elogió inmediatamente. En aquella ocasión, Alejandro no había estado tan comunicativo y no le había puesto al tanto a mi tío de la historia de la finca ni del carácter de sus pobladores, y como mi tío, que vivía centrado en sí mismo y no era evidentemente una persona curiosa, no había preguntado nada, ahora la finca le cogía por sorpresa.

—Pero éste es un lugar impresionante —decía—. No me habías dicho nada, Aurora.

Surgió la casa, con sus balaustradas, terrazas y torreones. En sus escalinatas de piedra habíamos visto a Félix por última vez.

—Así que aquí vive tu tía —medio preguntó a Alejandro.

—Mi madre y mi tía. La casa es de mi tía, pero mi madre vive con ella desde que murió mi padre. En realidad, mi tía la secuestró. Vino a pasar un verano a «Nuestro Retiro» y se quedó a vivir. Lleva ya tres años. Ése es el poder del dinero —sonrió.

No explicó nada más y yo misma me sorprendí, porque Alejandro nunca había mencionado ese aspecto de su vida. Creí percibir cierto tono irónico, despectivo y amargo.

Mi tío Jorge lo observaba todo con atención. Paseó la mirada por el zaguán, calibrando el valor de los muebles que lo poblaban.

—Es mejor que vayamos directamente a la galería —dijo Alejandro—. Es la hora del aperitivo.

En la galería estaban las tres señoras: la tía Carolina, la madre de Alejandro y Araceli, con sus atuendos de siempre, perfectamente acostumbradas a representar el papel que les había tocado a cada una en aquella actuación. Se sorprendieron al vernos, pero se recuperaron en seguida de su asombro, estrecharon la mano de mi tío y le felicitaron por ser pariente tan próximo de Félix.

—Un muchacho encantador —dijo la tía Carolina—. Tiene una voz estupenda. Ya estábamos terminando la novela. Aunque el final no me gusta tanto. Dura demasiado.

—¿Dónde está? —pregunté.

—Se fue ayer —dijo—. Dijo que ya estaba mucho mejor. ¿Es que no lo sabéis? Creí que había hablado con vosotros.

—¿Sabe usted adónde se fue? —preguntó mi tío con voz trémula.

—No, ¿cómo lo voy a saber? Creí que volvía a su casa.

Mi tío había empalidecido. Araceli se puso en pie.

—Tiene usted que tomar algo, una copa de jerez. Debe de estar cansado del viaje.

Nos sirvió a todos y, ya sentada, preguntó con interés:

—Así que usted es el segundo marido de la madre de Félix.

El tío Jorge, todavía pálido, asintió.

—Así es.

—Félix nos ha hablado de usted, desde luego. Tienen suerte con él. Es un chico muy educado. Hemos sentido mucho que nos dejara, pero ha prometido que nos volverá a visitar. Ya ve, somos tres mujeres solas y viejas. Él nos ha hecho sentirnos jóvenes.

Miré a la madre de Alejandro, que era la más joven de las tres. Vi esta vez en sus ojos un destello de inquietud, o cansancio o deseos de abandonar el juego que su rica prima le imponía. O fue una impresión mía.

Las tres se esforzaron para que el tío Jorge no nos abandonara inmediatamente. Quería llamar a un taxi, pero accedió, al fin, a quedarse a comer. Había un tren que salía a las cinco de la tarde y que llegaba en un par de horas a Madrid. Demetrio lo llevaría a la estación, porque nosotros, Alejandro y yo, nos quedábamos a pasar la noche. Yo no tenía muchas ganas de quedarme, de asistir a una de esas cenas donde la oscura figura de la dueña de la mansión alcanzaba su punto culminante de dominio y solemnidad, pero Alejandro aceptó y supuse que tendría sus razones. Allí estaba su madre y ésa era su familia.

Durante la comida, las tres mujeres no dejaron de hablar. Su mundo era autosuficiente. Me pregunté cómo había conseguido Félix convivir con ellas durante tantos días, e incluso conquistarlas.

—No tiene por qué preocuparse por Félix —le dijo la tía Carolina a mi tío—. Los jóvenes deben vivir su vida, y él ya se encontraba mejor. Ha recuperado las fuerzas y la salud, eso es lo importante. Es un muchacho formidable.

El tío Jorge no dijo nada, pero su mirada revelaba desconcierto. Después de comer y de tomar café, se despidió de las señoras, dio cortésmente las gracias a la dueña de la casa por su hospitalidad, y con andar cansado y gesto de fatiga atravesó el zaguán camino de la puerta. Al pie de las escalinatas de piedra, antes de subirse al espectacular Rolls que había pertenecido al dueño de la casa, responsable de aquella demostración de riqueza, me dijo:

—Abraza a tus padres de mi parte. Supongo que Félix llamará. Debe de estar enfadado con nosotros, pero llamará. No puede desaparecer así, sin más ni más.

—Os llamará —dije—. Seguro.

Por la tarde, mientras Alejandro estaba con el administrador, di un paseo por el jardín, admirando la obra y las ambiciones del indiano. Sentada en un banco de piedra, frente al estanque, vi a la madre de Alejandro, que me hizo un gesto con la mano, invitándome a acercarme hacia ella.

—Siéntate —me dijo, cuando llegué—. Se está muy bien aquí. No hace ni frío ni calor.

La temperatura era, efectivamente, perfecta. En el estanque se reflejaban los árboles, de diferentes tonos de verde, y no se oía ningún ruido, sólo el rumor de los pájaros y el viento entre las hojas.

—En otoño también está muy bonito —dijo—. Tienes que venir en otoño.

Estuvimos un rato calladas. Yo no sabía de qué hablarle y ella, después de haberme hecho ir hasta el banco, tampoco parecía muy deseosa de entablar una conversación; por lo contrario, parecía sumida en graves pensamientos, que nunca me hubiera atrevido a interrumpir.

La luz fue cayendo y no pude reprimir un escalofrío, porque el banco en el que estábamos sentadas era de piedra y el sol había dejado de calentar.

—El anochecer es siempre triste —dijo levantándose.

Parecía en otro mundo y hubiera deseado encontrar la fórmula de romper aquel silencio, aun sabiendo que a ella no la molestaba y en cierto modo a mí tampoco, pero que me impedía conocerla un poco más. O tal vez no.

En el zaguán de la casa, me despidió. Subió las escaleras, supuse que en dirección a su cuarto, para prepararse para la cena, y desde lo alto me volvió a mirar y me sonrió y nuevamente me dijo adiós.

ALEJANDRO Y YO decidimos pasar el mes de julio juntos, y por medio de un amigo suyo conseguimos una casa frente al mar, en Levante. Pasábamos el tiempo dando largos paseos, tomando el sol, y escuchando óperas. Las óperas eran nuestra música de fondo. Una vez que ya había asistido a la representación de *Norma* (aunque no en la Scala de Milán), una vez que ya había visto la película *Fitzcarraldo*, podía considerarme, según la sentencia que James Wastley había pronunciado en el viejo restaurante de Delhi, una aficionada a la ópera, aunque primeriza y moderada. Ante los entendidos, me callaba. Pero como Alejandro nunca había tenido esa afición (le gustaba, y mucho, la música moderna), me ofrecía un campo virgen donde ejercer mi labor de proselitismo.

Los dos éramos perezosos para cocinar, así que almorzábamos en casa de cualquier manera y salíamos a cenar a uno de los muchos restaurantes del pueblo. Ni siquiera desayunábamos en casa todos los días, porque nada más levantarnos nos lanzábamos a recorrer la playa, a esa hora desierta, y muchas veces, a la vuelta, nos quedábamos en la terraza de la cafetería Miami, donde leíamos el periódico y nos tomábamos lentamente el desayuno. Todo era bueno en el Miami: el zumo de naranja, el café y las tostadas. Hubiéramos pagado cualquier cosa por ese desayuno y, para colmo, era barato.

Parte de la mañana la pasábamos allí, hasta que el sol empezaba a molestar. Entonces, después de otro café, volvíamos a casa. Nos bañábamos mirando el porche de nuestra casa, porque nos parecía un verdadero lujo disfrutar de tantas cosas a la vez. Hacía exactamente un año que había ido a Oriente con Mario por huir de un verano recordando a Fernando, pero todo eso quedaba muy lejos, aunque el que yo me encontrara allí con Alejandro era también consecuencia de aquel viaje. Pero en verano todo se detiene y yo estaba cansada de encontrar que mi vida se regía por una serie de coincidencias que escapaban a mi voluntad y a mi control, y aunque entre Alejandro y yo no todo era perfecto y a veces surgía, inesperadamente, un punto que nos hacía apartarnos y observarnos a distancia, había ratos muy buenos. No hacía falta pensar en nada más. No siempre hay que vivir analizando todo lo que ocurre. Alejandro se había llevado lienzos, pinturas y el caballete, y el tiempo que quedaba entre los paseos, las comidas, los baños, las noches y las siestas, él pintaba. Entretanto, yo leía o daba más paseos, o iba al pueblo a comprar algo, o me volvía a bañar o deambulaba por la casa, mientras las potentes y melodiosas voces de las sopranos, los tenores, los bajos recorrían todos los registros de la voz humana sobre un fondo de orquesta a veces solemne, a veces frívola, triste o patética, y siempre grandiosa y consoladora. ¿Cómo no había entrado en aquel mundo antes? James Wastley tenía razón. Sus mitos empezaban a parecerme aceptables, o era que yo me iba acercando a su edad, la edad en que tantas cosas han demostrado ser frágiles, inservibles o inalcanzables.

Ni Alejandro ni yo hablábamos de El Saúco, como si hubiéramos llegado a ese acuerdo de silencio. Ya habíamos comentado suficientemente la desaparición de Félix y yo no tenía muchas ganas de recordar la serie de reuniones y conversaciones familiares que a raíz de los problemas de mi tío Jorge se habían producido en mi casa. Ni siquiera mi madre quería hablar de Félix. Tampoco ella quería volver a preocuparse.

Mis padres todavía estaban en Madrid. Esperaban el regreso de Gisela que, ella sí, estaba de viaje. En Roma, creo recordar. En cuanto Gisela llegara, se irían todos a El Arenal, más unidos que nunca, más dispuestos a defender su descanso y sus diversiones. Yo los llamaba de vez en cuando y me daban noticias del calor. Les gustaba decirme que no se podía ni respirar. A última hora de la tarde, mi padre abría todas las ventanas para que se estableciera una ligera corriente de aire. Hasta ese momento, la casa había permanecido cerrada y en penumbra para que no penetrara ni un ápice de calor sobre el ambiente cada vez más cargado. Pasaban la noche en medio de esa hipotética corriente, envueltos en los ruidos que llegaban de la calle. A las ocho de la mañana, cerraban las ventanas.

Mi padre seguía rigurosamente ese horario año tras año cuando caía el calor sobre el asfalto, y se sentía muy orgulloso de esos métodos que le permitían sobrevivir en el infierno del verano en la ciudad. Pero desde que yo estaba a la orilla del mar, se quejaban más de lo acostumbrado.

—Ya sabes cómo mantengo la casa todos los años —decía mi padre—, pero este año no hay manera. Tenemos que abrir las ventanas antes de tiempo, porque nos ahogamos. Creo que vamos a tener que poner aire acondicionado.

Eso era algo que también decía todos los años. Sonaba como una amenaza, como el final de una época, una traición a los principios fundamentales de su vida, su orden y su prestigio. Como si las cosas pudieran con él.

—¿Y qué tal allí? —me preguntaba, al fin, con un leve pero inequívoco matiz de reproche, por haberme librado del calor y haberlos dejado luchando contra él. Y antes de que yo pudiera contestar, consciente él de que la pregunta era tan rutinaria y mecánica como en el fondo comprometida o por lo menos aventurada, decía—: Ahora se pone tu madre.

Mi madre me contaba exactamente las mismas cosas que me acababa de contar mi padre. Sólo que como no era ella la responsable de todo aquel método de abrir y cerrar ventanas, lo comentaba con ironía.

—Ya sabes que tu padre se cree que si vivimos a oscuras no pasamos calor. Y no te puedes imaginar de qué humor se pone si Juana o yo subimos una persiana. El calor le descompone, ésa es la verdad. Estoy deseando estar en El Arenal, allí está más entretenido, no se pasa todo el día vigilándonos —suspiraba—. Es como si viviéramos en un cuartel.

Quejarse el uno del otro, eso era lo que consistentemente hacían cuando hablaban conmigo. Ése era el papel que jugaban mejor. Llevaban años entrenándose.

Los llamé un viernes antes de cenar, a esa hora en que ya debían de haber abierto las ventanas y una leve corriente de aire recorrería la casa. El timbre del teléfono se repitió en el vacío. Podían haber salido a dar una vuelta; jamás lo hacían, pero era posible. Así que no me quise preocupar.

Aquella noche fuimos a cenar a un restaurante indio que acababan de abrir. Habíamos conocido al dueño en la playa y él se encargó de organizar nuestro menú. Comimos y bebimos más de lo acostumbrado. Al final, se sentó con nosotros y nos invitó a un par de copas. Nos hubiera seguido invitando a tomar copas hasta el amanecer. Tenía una resistencia extraordinaria. Cuando me levanté, apenas me podía sostener. Alejandro me llevó, prácticamente a rastras, hasta la casa. Creo que vomité por el camino.

No pensé en mis padres, ni esa noche ni a la mañana siguiente, que pasé en la cama, con un dolor de cabeza de esos que te quieres morir. Alejandro hizo café y, más tarde, preparó el almuerzo. Fue a media tarde cuando volví a pensar en mis padres, pero decidí esperar un poco porque todavía no había recuperado la voz: me salía ronca y temblorosa.

Eran las ocho de la tarde del sábado, otra vez la hora en que mi padre abría las ventanas, cuando volví a llamar. Miré el reloj mientras sonaba el teléfono sin que nadie acudiera a cogerlo.

—No puede ser —dije.

—¿Qué es lo que no puede ser? —me preguntó Alejandro.

—No están mis padres en casa.

—Habrán salido a dar una vuelta, a esta hora empieza a refrescar, ¿no dices que en tu casa hace mucho calor? A lo mejor han ido al cine —sugirió.

No iban nunca al cine. No salían de casa por las tardes; nunca lo habían hecho. Pero en cualquier momento se puede cambiar de costumbres.

Llamé a las nueve. El teléfono seguía sonando, sin respuesta. Llamé a las diez. Nada.

—Es absurdo que te preocupes tanto —dijo Alejandro—. Deben de haber ido a visitar a alguien. Tal vez tu hermana lo sepa.

Mi hermana se sorprendió con mi llamada, pero no pudo darme ninguna explicación. No sabía nada de nuestros padres desde hacía dos días.

—No ha podido pasarles nada, ¿qué les ha podido pasar? Lo hubiéramos sabido. No he salido de casa en todo el día. Además, esta mañana habrá ido Juana. Va todos los sábados y se queda hasta el mediodía. Habrán salido a dar una vuelta. ¿Dónde estás?, ¿desde dónde llamas?

—¿Tienes el teléfono de Juana?

—No.

Me despedí de ella después de decirle dónde me podía encontrar si acaso conseguía hablar con mis padres y colgué. Estaba decidida a hablar con Juana, quería una explicación a aquel silencio. Yo misma comprendía que podía haber explicaciones razonables para la ausencia de mis padres, pero me empujaba una especie de reto. Recordé de pronto que la hermana de Juana trabajaba como asistenta en casa de Mario. Yo había servido de intermediaria. Pero tampoco Mario se encontraba en casa. Y el teléfono de mis padres seguía sonando en el vacío. Era cada vez más extraño.

—Estará estropeado —decía Alejandro, sin convicción.

—Si estuviera estropeado no daría la señal. Se escucha perfectamente.

Al fin, encontré a Mario y le expliqué lo que pasaba. Tardó un rato en encontrar el número de teléfono de la hermana de Juana, porque lo había apuntado en un papel que había sujetado a la nevera con un imán en forma de oso (lo repitió varias veces) y alguien había metido el papel, finalmente, en un cajón. Después de dármelo, quiso que le hablara de mi vida, pero yo no podía enredarme, a esas horas y con esa sensación de urgencia, en una conversación sobre los sentimientos, que en aquel momento excepcional le interesaban mucho. Debía de haber tomado un par de copas.

Marqué el teléfono de la hermana de Juana. En lugar de una voz de mujer surgió una ronca voz de hombre. No tenía ni idea de quién podía ser porque había oído decir a Juana que su hermana no estaba casada, pero le expliqué como pude a aquel hombre de la voz ronca quién era yo y lo que andaba buscando. Le dije que estaba francamente preocupada. Le hablé de mis padres, de lo viejos e inútiles que eran. El hombre dudó un momento, luego dijo que iba a ver si encontraba el número de teléfono de Juana por alguna parte. Al cabo de unos instantes volvió con él.

—¿No crees que estás exagerando? —insistía Alejandro—. No puede haber sucedido nada. De las malas noticias se entera uno en seguida. Juana hubiera llamado a tu hermana.

Eran casi las doce. Pero yo, llevada de mi celo indagatorio, marqué el número de teléfono de Juana. Sonó un rato y, finalmente, escuché una voz de niño. Era Pablo, el hijo de Juana. Algunos sábados por la mañaña venía a casa con su madre. Tenía doce años. Era un niño muy formal que se pasaba la mañana leyendo Tintines en una silla de la cocina mientras su madre cocinaba y planchaba. Le conté lo que pasaba. Me dijo que su madre había ido a una boda y que llegaría tarde. Le pregunté si sabía si había ido a casa de mis padres por la mañana. No tenía ni idea, porque él había ido a un partido de fútbol y había comido, a la vuelta, un bocadillo. Se había encontrado a su madre en el portal, vestida para la boda. Apenas habían hablado.

—Te voy a pedir un favor, Pablo —le dije—. Para mí es muy importante. Cuando llegue tu madre, sea la hora que fuere, le dices que me llame a este teléfono —se lo dicté—. La estaré esperando.

Me quedé al fin dormida, más calmada, en parte,

por los argumentos de Alejandro y, sobre todo, porque había logrado establecer un camino de contacto con Juana. Eso ya era una victoria. A las tres de la mañana me despertó el timbre del teléfono. Era Juana.

—No pasa nada —dijo inmediatamente—. Sus padres están muy bien. Es que se ha estropeado el teléfono. Nos hemos dado cuenta esta mañana. Ya he avisado a la Compañía de Teléfonos. Sus padres me dijeron que llamara y eso es lo que he hecho nada más llegar a casa, pero todavía no deben de haberlo arreglado. Supongo que lo arreglarán mañana. Fíjese qué casualidad, hoy he tenido que ir a una boda. Nunca salgo de casa, y precisamente hoy tenía esa boda, una boda de una vecina. Se lo decía a Pablo: yo, que nunca salgo de casa. El lunes se lo diré a sus padres. No se les ha ocurrido que usted se podría preocupar.

Una vez más, le di las gracias. A ella y a su hijo. Todo parecía razonable. Todo estaba en orden. Yo me había preocupado inútilmente, en un verdadero ataque de histeria que demostraba mi fragilidad: no soportaba que el hilo que me unía con mis padres se rompiera. Además, se había roto de una forma que me exasperaba especialmente: por el teléfono, y eso era lo que había hecho aumentar mi excitación y mi temor, porque pertenezco a esa clase de personas para quienes los teléfonos, antes que instrumentos de comunicación, son un obstáculo. Rara ha sido la vez que, habiendo entrado en una cabina telefónica con el objeto de hacer una llamada imprescindible, el teléfono haya funcionado y, si es que se ha prestado de momento a establecer la comunicación, la ha interrumpido abruptamente en cuanto ha aparecido, al otro lado, la otra voz. El hecho de que el teléfono se hubiera puesto en mi contra, como siempre, y se hubiera obstinado en devolverme el sonido de su timbre en el vacío, lo que resultaba ilógico, ya que mis padres tenían que estar en casa, muy cerca por cierto de él, había exacerbado mi sentimiento de impotencia y de distancia. Había que suponer que mis padres, en casa, yacían sobre el suelo de la cocina —allí fue donde los imaginé— intoxicados a causa de un escape de gas. Pero nada de eso había pasado, y Alejandro brindó por mí.

—Serías una estupenda detective —dijo.

Mis padres llamaron por la mañana. Se disculparon por no haberle encargado a Juana que me llamase, sin haber previsto mi preocupación, y prometieron tenerme al tanto de sus idas y venidas y de las averías de su teléfono. Se comportaron como niños cogidos en falta. En realidad, se les notaba medianamente satisfechos de que me hubiera inquietado por ellos.

A media mañana, bajamos a desayunar al Miami, dispuestos a entregarnos, ya liberados de toda preocupación, a la más perfecta de las inactividades: dejar pasar el día lentamente. En realidad, eso era lo que hacíamos todos los días de la semana, pero el domingo ayuda. Un aire de aburrimiento, una conciencia profunda de la nada, se cierne sobre todas las personas.

Encargamos el desayuno y abrimos los periódicos. Hay días en que uno lo lee todo, las noticias importantes y las enunciadas en letra pequeña, los anuncios, las esquelas. Entre trago y trago de zumo de naranja y de café con leche, entre bocado y bocado de tostada, mis ojos se deslizaron por cada página del periódico, deteniéndose en cada recuadro, para alargar ese rato, para tener la mente ocupada en los acontecimientos del mundo exterior.

En la columna de las noticias breves, vi una palabra que me sobresaltó: *Fitzcarraldo*. A continuación, leí: «Una mujer y dos hombres han sido expulsados del Nepal por comprobarse que estaban trabajando en el servicio de espionaje soviético. La operación, que llevaba por nombre clave la palabra *Fitzcarraldo*, fue detectada en África del Sur. Los espías operaban infiltrados en supuestas organizaciones humanitarias.»

Nada más. La vista se me había nublado. Todos los datos señalaban a Gudrun Holdein.

—¿Qué te pasa? —me preguntó Alejandro.

—No te lo vas a creer —le dije, tendiéndole el periódico—. Lee. En la columna de «Breves».

Inclinó su cabeza sobre las páginas extendidas del periódico. Levantó los ojos, interrogante.

—La segunda noticia —le dije—. *Fitzcarraldo*. ¿No te suena familiar?

—Es la película, claro.

—Es la película que mencionó James Wastley. Creo que te lo conté, esa extraña frase que dijo en el restaurante. Habló de *Norma* y de *Fitzcarraldo*. La señora Holdein, como sabes, vive en el Nepal, y dirige un centro de estudios sociales. Cuando vino a Madrid a ver a tu tía, acababa de dejar Johannesburgo. Ella y James eran muy aficionados a la ópera. Todo encaja. Son ellos, tienen que ser ellos.

De repente, sentí un estremecimiento más profundo.

—Ángela —murmuré—. No se sabe cómo se produjo su muerte. La señora Holdein debió de ver a Ángela cuando estuvo en Madrid. Le tuvo que dar la foto.

—Oye —dijo Alejandro—, no te vuelvas loca. Hay muchas coincidencias que no tienen explicación. No sé si esa mujer de la noticia es la señora Holdein.

No lo sé y, en realidad, no me importa. Tú no eres espía, yo no soy espía. No vivimos dentro de una película.

—Todo esto es muy raro —dije—. Tú no conoces a la señora Holdein, pero gracias a ella y a sus fotos me conociste a mí.

—Eso no lo planeó nadie.

Bajo el toldo azul del Miami, repasamos los hechos una y otra vez. Yo había entrado en contacto con un grupo de espías en Delhi, de eso no podía haber duda. Que el que uno de ellos, concretamente la señora Holdein, tuviera también una remota relación con Alejandro, podía ser una casualidad y yo estaba dispuesta a admitirlo, pero la misteriosa muerte de Ángela hacía que la breve noticia del periódico me inquietara profundamente.

La policía me había citado en el apartamento de Ángela y yo había visto la foto, enmarcada, en un lugar preferente, pero no había dicho nada, por eludir un problema y una investigación fastidiosa, porque las fotos de la señora Holdein siempre me habían molestado y porque no quería volver a pensar en la señora Holdein.

—Tengo que llamar a la policía —concluí—. Tengo que decírselo.

—Supongo que sí —admitió Alejandro—. ¿Crees que Ángela era también espía?

—Nunca lo hubiera imaginado —dije.

En los ojos de Alejandro se refleja cierta incredulidad.

—¿No te parece que la policía va a pensar que es muy raro que tanto tú como yo conociéramos a Gudrun Holdein? —se me ocurrió de pronto.

—Necesito un trago —dijo Alejandro.

Aquel día lo pasamos especulando. Cuanto más hablábamos de ello, más desconcertados nos sentíamos. Mis cualidades de detective, recientemente ejercitadas en el caso de la búsqueda de mis padres, no parecían suficientes.

Sonaba el timbre del teléfono cuando atravesamos el umbral de nuestra casa. Eran, de nuevo, mis padres, que querían demostrarme su agradecimiento por mis investigaciones y volverme a decir que lo sentían. Me describieron, una vez más, su cotidiana lucha contra el calor, lejos de toda trama internacional de espionaje.

Nada más colgar, llamé a Mario, para ver si él también había leído la noticia y conocer su opinión respecto al asunto de Ángela, pero no contestaba nadie y recordé que la noche anterior me había dicho que se marchaba el domingo a primera hora. O no me había dicho adónde se iba o yo no le había prestado atención. Había estado un poco cortante con él.

Me concedí un plazo para llamar a la policía. Llamaría el lunes. Por lo demás, en un domingo no sería fácil localizar al comisario que me había interrogado.

Puse la cassette de *Norma* muchas veces, mientras en mi cabeza se reproducían los lejanos encuentros con Ishwar, James y la señora Holdein, con la esperanza de encontrar una clave en aquella música, pero ¿dónde, cómo? Sus acordes llenaban todavía nuestro cuarto de estar y el sol, ya desaparecido, había dejado una huella de color anaranjado en el horizonte plateado del mar, cuando volvió a sonar el teléfono y volví a escuchar la voz un poco temblorosa de mi madre.

—No te quiero molestar —dijo—, pero es que no sé si he metido la pata. Ha llamado un hombre con acento extranjero, un inglés, ha dicho. Me parece que se llama James, ya sabes que no entiendo nunca los nombres. Ha dicho que ha estado todo el fin de semana llamándote a casa, pero como teníamos el teléfono estropeado no ha podido localizarte. Ha dicho que era muy urgente hablar contigo y le he dado tu número de teléfono. Era un hombre muy simpático, no sé si he hecho mal.

—¿Hablaba español?

—Muy mal. Pero yo hablé muy despacio y él hablaba con verbos, con palabras sueltas. Pero nos hemos entendido. ¿Quién es?

—No tengo ni idea.

—¿He metido la pata?

—No.

Todo lo contrario, si es que se trataba de James Wastley. Yo también quería hablar con él. Quería explicaciones.

Aquella noche soñé con Delhi. Por los pasillos alfombrados del hotel Imperial, a una hora confusa de la madrugada, yo iba de habitación en habitación, dando pequeños golpes de alarma. Eso es todo lo que vagamente recuerdo de aquel sueño, porque no lo anoté. Me pareció importante y simbólico, pero no tenía a mano lápiz y papel.

A mi lado, Alejandro dormía apaciblemente. Me puse un chal sobre los hombros y salí a la terraza. Volvía a tener, como me había sucedido a lo largo de aquel invierno, desde que había asistido a la representación de *Norma*, la fuerte impresión de que mi vida estaba siendo planeada desde fuera, y de que todo lo que me estaba ocurriendo obedecía a un plan, del cual yo no sabía nada. Me pregunté si Ishwar estaría también complicado en el asunto *Fitzcarraldo*. En todo caso, eso no cambiaba las cosas ni marchitaba el recuerdo. El amor es confuso y jamás se juega en igualdad de condiciones, jamás se sabe cuál es exactamente el papel que le toca a cada uno. Era curioso que pensara en el amor en aquel momento, pendiente de una llamada que tal vez iba a esclarecer una muerte, la misteriosa muerte de Ángela. Pero no era mi muerte, y si aquella historia me afectaba, era, sobre todo, porque había habido episodios de amor. El mundo de los vivos es el reino del egoísmo.

NO QUISE SALIR en toda la mañana, pendiente de la llamada de James Wastley. Llamó poco antes del mediodía. Su voz sonaba muy lejana.

—¿Te acuerdas de mí? —preguntó—. Sé que después de tanto tiempo mi llamada te sorprenderá, pero necesito hablar contigo. Llamé a tu casa de Madrid y tu madre me dijo que estabas de vacaciones y me dio tu número de teléfono.

—¿Dónde estás? —le pregunté.

—Aquí, en Jávea, muy cerca de tu casa, en un bar que se llama Miami.

—¿Cuándo has llegado?

—Esta mañana, hace más o menos una hora.

—Espérame. En diez minutos estoy allí.

Fui al cuarto que servía de estudio a Alejandro.

—Era James Wastley —le dije—. Está en el Miami. Voy a ir a hablar con él. ¿Quieres venir conmigo?

Alejandro tenía un gesto huraño.

—Ve tú —dijo—. Os esperaré aquí.

Me vestí rápidamente y fui al Miami, intentando calmarme, diciéndome que dentro de pocos minutos conocería, seguramente, las claves de aquella historia.

Vi a James bajo el toldo azul de la terraza del Miami, enfrascado en la lectura de un periódico, y con una pila de periódicos sobre la mesa. Sobre ella, había, también, una copa de coñac. Debía de estar atravesando una de sus épocas de licencia. Su pelo de color ceniza parecía más largo y llevaba gafas de sol muy oscuras. Pero era él. Se levantó al verme. Iba vestido como en Delhi: con vaqueros muy gastados y una camisa azul de manga corta. Me tendió la mano y sonrió. Nada en él hacía pensar en espionaje o urgencia. Era un atractivo turista que, seguro de sí mismo, muy tranquilo, se sabe manejar perfectamente en un país extranjero. No era, por lo demás, el único turista que había en el Miami, ni mucho menos en Jávea.

—Gracias por venir —murmuró, mientras estrechaba mi mano—. ¿Quieres tomar algo?

—Tal vez más tarde.

—Entonces podemos dar un paseo por la playa. Hablaremos con más tranquilidad.

James Wastley se levantó de nuevo, buscó una papelera y tiró los periódicos, luego se dirigió hacia el interior del Miami para pagar su consumición.

Nos encaminamos hacia la playa. Fuimos dejando las huellas de nuestros pies en la arena mojada.

—Te estarás preguntando qué hago aquí y por qué tenía tanta urgencia de verte —dijo.

Pensé que era mejor dejarle hablar, no adelantarme. Prefería escuchar su versión.

—Antes de nada —dijo—, quiero darte recuerdos de Ishwar. No exactamente recuerdos. Se quedó muy impresionado contigo. Él no sabe que yo te iba a ver. Si lo llega a saber hubiera sido muy difícil detenerle. Está de nuevo en la universidad, se ha propuesto terminar la carrera. Creo que es una buena decisión.

Asentí. James se detuvo y clavó en mí su mirada.

—Te enteraste de la muerte de Ángela, ¿verdad? Supongo que la policía te interrogó.

—Fue una muerte muy extraña —dije— ¿Tiene algo que ver con lo que me vas a decir?

—Sí —dijo gravemente—, pero quiero empezar por el principio. De eso te hablaré más tarde. Me interesa que entiendas por qué me dirijo a ti. —Hizo una pausa—. Lo que te voy a decir te puede resultar sorprendente —empezó—, hasta un poco absurdo, pero hay aspectos en la vida que son un poco absurdos; a mí también me lo parecen. Normalmente, no les hacemos mucho caso, hasta los ignoramos, pero, repentinamente, ocupan un primer plano, se apoderan de ti. Eso fue lo que me sucedió a mí. Voy a hablarte un poco de mí porque tal vez así lo entenderás mejor.

»Todo empezó en Delhi, la primera vez que fui a la India, con la idea de seguir las huellas de un pariente mío que había muerto en Bombay, medio desahuciado, hacía casi medio siglo —yo conocía esa historia, que había escuchado en la habitación de Ishwar, también suya, unas horas antes de su llegada a Delhi—. Conocí a Ishwar en Londres, y se ofreció a acompañarme. Nos alojamos en el hotel Imperial. Estuvimos una semana allí. Era mi primer contacto con la India y yo estaba deslumbrado, de forma que no presté mucha atención a los otros ocupantes del hotel. Pero un día que Ishwar había salido y yo me encontraba solo cenando en el restaurante del hotel, un hombre, un inglés de unos cincuenta años, se acercó a mi mesa, y me dijo que tenía algo que decirme. Yo no tenía ningún motivo para negarme. Habló muy claramente, sin rodeos. Prácticamente nada más sentarse, me dijo que era agente del servicio secreto británico, que había investigado mi vida y que yo era la persona ideal para sus fines. En suma: me pidió que colaborara con ellos.

»Ni siquiera sé por qué acepté, pero lo hice. También había razones económicas. Lo habían previsto todo. Sabían en qué situación me encontraba y que de un momento a otro me iba a quedar sin dinero. Me habló de la cobertura que habían ideado: una empresa de producción de películas. Solucionaba mi vida y facilitaba mi trabajo como agente del servicio secreto. Ellos se encargaron de todo. Sólo pedí que dejaran a Ishwar al margen, lo que también estaba de acuerdo con sus planes. A partir de aquella noche, me convertí en profesional del cine y en agente, en espía. El cine me dio trabajo inmediatamente y eso me distrajo. Mi trabajo como agente secreto empezó algo después. Por el momento, no había mucho que hacer; sólo estar disponible. La primera misión llegó al cabo de ocho meses. Recibí un telegrama en Calcuta. Me dieron la orden de trasladarme inmediatamente a Delhi y de alojarme en el hotel Imperial. Tenía que hacerme amigo de una mujer, una agente del servicio secreto soviético, la famosa KGB. Confieso que todo eso me parecía como una broma, algo irreal, como sin duda te lo está pareciendo ahora a ti.

James se detuvo, miró el mar.

—¿Nos sentamos? —preguntó.

No hacía demasiado calor y la brisa acariciaba suavemente la piel.

—Me gustan estos días nublados —dijo—. Bueno —prosiguió—, ya te imaginas quién era esa señora, la alemana que estaba en Delhi. Gudrun Holdein, así se hace llamar. Mi única misión, en principio, era conquistarla: tenía que hacerme digno de su confianza hasta el punto de que ella quisiera reclutarme. Contraespionaje, eso era lo que yo tenía que hacer. No te consultan, te lo mandan. Sin matices, sin paliativos. Lo haces o te atienes a las consecuencias, y prefiero no saber en qué consisten esas consecuencias. Una vez que aceptas ser agente del servicio secreto, no existe la vuelta atrás.

Volvió a quedarse callado y su mirada se perdió en el horizonte.

—Nací en Northon —dijo—, un pequeño pueblo costero del norte. Me gusta el mar gris de los días nublados. —Me había dicho antes algo parecido. Su tono volvió a endurecerse cuando volvió a su relato—. Me convertí en agente doble. No fue difícil conquistar a Gudrun Holdein. Compartíamos una afición. Mejor será decir una pasión: la ópera. Tuvimos largas conversaciones en el bar, en el restaurante, alrededor de la piscina. Hablábamos de ópera y de filosofía de la vida. Me encargué de dejar muy claro que estaba desorientado, que el mundo no me gustaba, que me gustaría hacer algo útil por cambiarlo y que andaba bastante mal de dinero. Todo estaba perfectamente preparado para que ella cayera en la trampa. Contábamos con que harían nuevas investigaciones sobre mi vida, pero todo estaba en orden. Y todo funcionó muy bien hasta vuestra llegada a Delhi, el verano pasado. Vi a Gudrun Holdein nada más llegar al hotel. Estaba muy excitada, me dijo que estaba estableciendo un contacto interesante entre un grupo de españoles. Sin embargo, no me dio ningún nombre. No le dio tiempo, porque Ishwar nos interrumpió. Parecía tan impresionado por algo, tan conmocionado, que dejé la conversación con la señora Holdein para después. Eso fue lo que me perdió. Al día siguiente, ella parecía muy cautelosa, dijo que todo había sido una falsa pista y que era mejor que nos olvidásemos de los españoles. Entonces comprendí que había empezado a desconfiar de mí. Pero yo estaba seguro de que ella había hecho un contacto entre vosotros y me propuse descubrirlo.

Me miró y sonrió. Apoyó el codo sobre la arena y se inclinó un poco sobre mí.

—Debo confesarte —dijo— que tú fuiste la primera sospechosa, tal vez por lo de Ishwar. Los espías tienen una larga tradición de amores. Ser agente secreto es en realidad una profesión muy aburrida, así que uno se enreda en multitud de historias —volvió a dedicarme una mirada intensa—. Pero en cuanto te vi en el bar del hotel supe que podía haber algo entre nosotros.

—Todo esto me está resultando irreal —dije, verdaderamente confusa—. Todo parece lo contrario de lo que era. No sé si estoy capacitada para entenderlo.

De nuevo James apoyó su codo en la arena y se inclinó sobre mí.

—Lo comprendo —dijo.

Cerré los ojos y dejé caer mi cuerpo hacia atrás. Me dije que si Alejandro estaba en el porche podría vernos. Tenía calor y sed.

—Podríamos beber algo —dije.

—Yo también tengo sed.

Me ayudó a levantarme y fuimos hacia el extremo de la playa. Nos sentamos en un bar, bajo una sombrilla, y pedimos algo de beber. James prosiguió su relato:

—Entre Gudrun Holdein y yo la palabra clave era *Fitzcarraldo*. Yo tenía que saber si tú habías sido captada, por lo que pronuncié despacio la palabra durante la cena. Te miré fijamente para no perderme la mínima reacción. Pero me devolviste una mirada que me desconcertó. Hubo algo entre nosotros en aquel momento, y eso es en el fondo lo que me ha decidido a venir a verte. Desde aquel preciso momento, dejé de desconfiar de ti y me centré en tus acompañantes. Gudrun Holdein rompió todo contacto conmigo. Se fue de Delhi sin decirme nada, dejándome una serie de pistas falsas. Fue localizada en Johannesburgo y la siguieron hasta Madrid. Sabemos que se vio contigo y con Ángela. El servicio central insistió en que tú podías ser el agente. Habías tenido una relación sentimental con un político importante, y eso te hacía un blanco muy deseable. Se investigó y no pudo encontrarse nada. Después, la investigación se centró en Ángela, y fue entonces cuando ocurrió su muerte, que nos llenó de perplejidad.

—¿Cómo sucedió?

— Eso es lo que estamos tratando de saber, pero sin duda, está relacionada con la señora Holdein. El problema es que hemos perdido de nuevo su pista.

Consideré llegado el momento de hablarle de la noticia que había leído el domingo en el periódico.

—No se trata de la señora Holdein —dijo rápidamente, y añadió—: es curioso que la hayas leído.

—Fue el nombre de *Fitzcarraldo* lo que hizo que me fijara.

—No se trata de Gudrun. La señora Holdein es, precisamente, la persona que falta, la cabeza del grupo. La noticia es bastante correcta, pero no es completa. Estoy aquí para tratar de completarla, para llevar a cabo una investigación profunda.

Se llevó a los labios la copa de vino blanco.

—Y si he venido hasta aquí y te he contado todo esto es porque necesito tu ayuda —dijo.

—¿Qué clase de ayuda?

—Quiero que me cuentes cómo fue el encuentro con la señora Holdein —dijo James—, que me digas todo lo que recuerdes. Sabemos que te dio las fotos que te sacó en Delhi, y que también se las dio a Ángela. Cualquier otra información sería esencial para nosotros.

Por mucho que hubiera querido, yo no había olvidado la visita de la señora Holdein y, sobre todo, el momento en que se acercó a mí, tocó mi muñeca con sus dedos cálidos y me susurró al oído aquella invitación a ir a Toledo con ella. Bebí un poco de vino.

—Me dio un regalo de parte de Ishwar —dije, y elevé mi mano a la altura de los ojos de James, mostrándole el brazalete—. Esta pulsera.

—¿Puedes dármela un momento? —preguntó, sorprendido.

Me la quité y se la di. La examinó y vio la inscripción y el dragón grabados en su cara interior.

—Qué raro —murmuró—. Ishwar no me dijo nada.

—¿Qué es lo que significa? —pregunté.

—La inscripción es una frase de esperanza, una invitación a la paciencia, la perseverancia, la constancia, la fidelidad. Es muy difícil traducirla exactamente porque tiene un sentido amoroso.

—¿Podría, también, ser mi nombre?

—Sí, podría ser. Aurora —dijo, pensativo.

—¿Y el dragón?

—El dragón es la vida, el peligro, el fuego, la inestabilidad, el riesgo, lo siempre cambiante. En cierto modo, la negación. Pero me parece muy extraño que a Ishwar se le haya ocurrido grabar un mensaje así.

—¿Crees que es demasiado complejo para él?

—No es eso. No me considero superior, si es eso lo que insinúas —sonrió—. Simplemente, no va con su carácter.

Sus ojos, fijos en el mensaje de la pulsera, me miraron de nuevo. Me devolvió la pulsera y volví a ponérmela.

—Creemos que la señora Holdein está de nuevo en España —dijo—. Es muy posible que te llame. Quiero que cuando lo haga me lo digas. Te voy a dar un teléfono de Londres donde puedes dejar el recado a cualquier hora. Dime todo lo que te diga, y la hora a la que te llame y el tono de su voz. Cualquier detalle puede ser valioso para nosotros.

Me quedé mirando su copa de vino blanco, pensativa. No parecía un favor muy importante.

—¿Qué te hace pensar que estoy de tu parte? —pregunté.

Apoyó sus brazos sobre la mesa. Su mirada azul me abarcó:

—Te podría decir que hemos investigado tu vida y que creemos conocer tus ideas, tus afinidades, pero eso resultaría demasiado científico. Tal vez fue por esa mirada durante la cena, en el restaurante. Si no quieres que las personas te pidan nada no deberías mirar así.

—¿Crees que las personas son dueñas de su destino? —pregunté.

—Sé lo que sientes —dijo—. Cuando uno sigue las indicaciones de los otros, las órdenes de alguien de quien no conoces ni su cara ni sus pensamientos ni sus últimos planes, bueno, todo eso resulta a veces muy absurdo, te anula. Pero, en cierto modo, también es un consuelo. Ser el único responsable de tus actos es muy duro.

—No siento una admiración especial por los agentes secretos —dije—. Aunque hayas investigado mi vida, no puedes estar seguro de mis ideas. Yo misma no lo estoy.

—Lo sé —me dijo—, y eso es lo que me gusta de ti, porque eso es lo que me acerca a ti. Yo tampoco estoy seguro de mis ideas. No me he metido en este juego por exceso de fe y de ideales. Pero, a veces, hay que decidir de qué lado está uno, aunque no nos guste ninguno de los dos. Creo que sabes de qué lado estás.

Sacó su cartera, buscó un papel, anotó algo y me lo tendió.

—Es el número de teléfono de Londres donde puedes dejar el recado. Seguramente te contestaré yo. Es preferible que llames desde una cabina telefónica. ¿Quieres beber algo más?, ¿prefieres comer algo?

No tenía hambre. Seguía teniendo sed. James pidió más vino blanco.

—Desde que te conocí sabía que tendríamos ocasión de hablar a solas —dijo, perdiendo sus ojos en el cielo nublado.

Yo también lo sabía. Hablar a solas y estar a solas. Lo había sabido mientras Ishwar me hablaba de él, en su habitación; y hasta había llegado a pensar, contra toda lógica, que me estaba contando su encuentro con James con el propósito consciente de preparar el mío. En todo caso, la noche en que James, envuelto en un albornoz, se había quedado a dormir en el apartamento de Ishwar, había sido evocada para mí entre los acordes de música sentimental india.

—No me importaría descansar unas horas en un hotel antes de volver a Madrid —dijo, y me dedicó una mirada de aquéllas, profunda y ambigua.

Mi casa no estaba muy lejos y teníamos una cama en la que James podía descansar, pero lo acompañé al hotel y subí con él a su cuarto. La tarde se fue deslizando hacia la noche, difuminando todos los contornos, mientras James y yo cumplíamos la promesa que, silenciosamente, nos habíamos hecho sobre la mesa del restaurante de Delhi, a la luz de las velas.

Había dejado el brazalete sobre la mesilla y mientras me vestía James lo volvió a coger y a mirarlo con curiosidad.

—¿Puedo llevármelo? —me preguntó—. Te lo devolveré, desde luego.

No me dio más explicaciones, pero le dije que sí.

Al fin y al cabo, seguramente no era un regalo de Ishwar.

Regresé a casa a media tarde. Alejandro estaba en el porche, con un libro entre las manos y una botella vacía de cerveza en el suelo. Parecía más enfadado que concentrado en la lectura. Levantó un segundo los ojos del libro y me dirigió una mirada rápida, en la que pude leer que, aunque no iba a interrogarme, estaba esperando una explicación. Cogí dos cervezas de la nevera y las llevé al porche. Le ofrecí una. La cogió sin darme las gracias.

Nos quedamos callados durante un rato. Volvió a levantar los ojos del libro.

—¿Me lo vas a contar o no? —dijo.

—Es una historia tan larga que no sé si la sabré contar —dije—. Todo ha dado la vuelta.

Alejandro tenía el ceño fruncido.

—Ha podido dar muchas vueltas —dijo—. Habéis tenido tiempo de darle todas las vueltas del mundo.

No contesté. Las excusas que se me ocurrían no parecían muy convincentes.

—Me ha pedido ayuda —dije—. Quiere localizar a la señora Holdein. Ha venido a España para eso. Están investigando la muerte de Ángela.

Su ceño aún se frunció más. Le conté lo que James me había contado, y su interés por la inscripción del brazalete y su sospecha de que no fuera un regalo de Ishwar y de que la señora Holdein, que imaginaban estaba en España, me volviera a llamar.

—Es la historia más absurda que me han contado nunca —dijo Alejandro, llevándose la botella de cerveza a la boca.

—Me voy a dar una ducha —dijo después, y se levantó bruscamente.

Desde la puerta de la terraza, me dijo, en tono irascible:

—Deja que los espías se las arreglen solos. Tira ese papel a la basura y olvídate de todo. Ángela está muerta, no puedes hacer nada por ella. Tú no tienes nada que ver con su muerte. Los espías no son personas de fiar, ni siquiera son personas interesantes. ¿Es que no has leído novelas de espionaje? Son bastante rastreros. Se pasan la mayor parte del tiempo encerrados en una habitación esperando una llamada telefónica. Y engañando, sacando de las personas lo que quieren. No te mezcles con ellos.

Sus ojos reflejaban una irritación profunda cercana al odio. Desapareció, camino de la ducha. Escuché la puerta del cuarto de baño al cerrarse y el ruido del agua de la ducha sobre la bañera. Yo sabía que la irritación de Alejandro no era tanto porque yo me hubiera visto envuelta en una historia de espionaje, lo que a toda persona un poco incauta o un poco aventurera le puede pasar, como por su sospecha, casi certidumbre, de que yo no me había pasado la tarde con James únicamente hablando. No me lo había preguntado porque no era el tipo de persona que te hace esa pregunta, y seguramente porque prefería no saberlo, pero si nos había visto a James y a mí tumbados en la playa, y luego bajo la sombrilla del chiringuito, y más tarde pasar por delante de casa camino del pueblo, del que yo había regresado varias horas más tarde, había que admitir que tenía razones para estar celoso y yo, que no había podido evitar escuchar, mirar y seguir a James hasta la habitación de un hotel, lo comprendía, lo justificaba y sentía cierta compasión hacia él. La historia había dado muchas vueltas, pero no eran del todo inconvenientes para mí. En ese momento, mientras la noche nos iba envolviendo y el mar brillaba a la luz de la luna, me encontraba dispuesta a la generosidad, gracias al cansancio que recorría mi cuerpo, a las horas en las que la historia de espías se había detenido en el umbral de una habitación donde James y yo habíamos jugado el eterno papel de los amantes.

Cuando Alejandro salió de la ducha, volvió al porche, con la toalla alrededor de la cintura. Parecía más calmado.

—¿Y si nos olvidamos de todo esto y nos vamos a cenar por ahí? —preguntó.

—Eso era exactamente lo que estaba pensando —le dije.

Cenamos y volvimos despacio a casa, dejando de lado las sospechas y las horas injustificadas de mi ausencia. La huella de James estaba en mi cuerpo, pero era mi cuerpo y volvía a servir para expresar amor, deseo, pasión, confianza o inquietud, un poco de temor y abandono y fugacidad.

Durante el resto del mes, no hablamos de James, ni de la señora Holdein, ni de Ángela, ni de nada de lo que tuviera remotamente algo que ver con el espionaje. Nos reinstalamos en nuestra rutina y disfrutamos con los paseos, la música, la lectura, la pintura, los baños, la pereza de los días sin tener nada que hacer. Aunque había algo nuevo entre nosotros: los dos sabíamos que nos estábamos esforzando por ocultar algo, y eso hacía que los mejores ratos, los más sinceros y los más intensos, se produjeran en el silencio de la noche o en la quietud de la siesta, entre las sábanas.

Una tarde, nada más despertarme de la siesta,

surgió dentro de mí una pregunta que no se me había ocurrido hacerme: ¿por qué pensaba James que la señora Holdein me iba a llamar? Si el servicio secreto británico había investigado mi vida e incluso conocía mi pasada relación con Fernando, como había mencionado James, debía de estar enterado de mi actual relación con Alejandro. Debía saber, en suma, que la señora Holdein era amiga de la familia de Alejandro. Pero James no había hecho ninguna referencia a Alejandro. Y, repentinamente, eso me pareció muy raro. Allí había un hueco sospechoso. Las cosas no encajaban. El pasado parecía perfectamente coherente y explicable, pero el presente se me iba de las manos.

Tal vez James pensaba que la señora Holdein, si estaba en peligro, se pondría en contacto con Alejandro. ¿Qué buscaban? ¿Por qué tenía que estar yo en medio de aquel juego que no controlaba, que no sabía a qué respondía ni las consecuencias que podía tener? Aparentemente, era muy fácil salir: bastaba con dar por perdido mi brazalete, con olvidar que James me había pedido un favor. Podía quedarme con el recuerdo de las horas pasadas en el hotel Playa.

El mes finalizó, y regresamos a Madrid. Antes de deshacer el equipaje, volqué el contenido de mi bolso sobre la colcha de mi cama y busqué el pedazo de papel que me había dado James con el teléfono de Londres anotado. No estaba. Examiné de nuevo el montón de papeles. Abrí las dos cremalleras interiores de mi bolso. Tampoco se encontraba allí. Estaba segura de que lo había metido en el bolso, tal vez en uno de esos departamentos. No lo necesitaba, no pensaba utilizarlo, pero quería tenerlo. Era difícil que lo hubiera perdido. Nunca tiro un papel del bolso antes de hacer una inspección como la que estaba haciendo.

La desaparición de aquel papel tenía dos consecuencias: en primer lugar, me desligaba de James, a
quien ya no podía llamar. Pero en segundo lugar, me
distanciaba de Alejandro e introducía motivos para
la desconfianza. Él podía haber cogido ese papel, porque existían, por lo menos, dos razones; una razón
sentimental, de celos: cortar mi relación con James
y otra, mucho más oscura y que empezó a parecerme decisiva: conocer ese número de teléfono y evitar
que yo ayudara al servicio secreto británico a localizar a la señora Holdein, amiga de su tía y de su
madre y tal vez suya, aunque siempre había negado
conocerla. Podía querer proteger a la señora Holdein,
por razones asimismo sentimentales, o por otras.

13

GISELA VOLVIÓ de su viaje (de Roma, creo recordar), y se fue casi directamente a El Arenal, para preparar la casa de mis padres. Un atardecer de primeros de agosto, acompañé a mis padres a la estación y los dejé acomodados en su compartimento. De vuelta a casa, siguiendo mecánicamente las costumbres de mi padre, abrí todas las ventanas y me asomé al balcón, envuelta en los ruidos de la calle. Sonó el teléfono. Era Raquel.

—Ya se han ido los padres —le dije—. Los acabo de dejar en la estación. Parecían muy contentos.

—Lo sé. Me llamaron para despedirse.

Su voz sonaba triste, desolada.

—¿Qué te pasa?

—He hecho una cosa espantosa —susurró.

—¿De qué se trata?

—He estado de compras. No puedes imaginarte el dinero que me he gastado. No me di cuenta. Utilicé la tarjeta de crédito. No me atrevo a decírselo a Alfonso... Ahora andamos mal de dinero, no hace más que decir que tenemos que prescindir de muchos lujos. Estoy horrorizada. Alfonso está de viaje. Viene mañana.

Se echó a llorar.

—Pero, ¿cuánto dinero te has gastado?

—No lo sé exactamente. Jamás me había comprado tantas cosas de golpe. Estaban de rebajas. Nunca me había pasado. Me he debido de volver loca. —Su voz entrecortada tomó fuerza—. ¿Qué estás haciendo ahora? —preguntó—, ¿por qué no vienes a verme? Tal vez te guste algo de lo que he comprado. Me siento fatal.

Le dije que iría, no para comprar nada, sino para ver sus compras. A lo mejor había hecho estupendas adquisiciones. Lo cierto era que no me disgustaba imaginar la cara de estupor de Alfonso al ver la cuenta de la tarjeta de crédito.

La cama de Raquel rebosaba de ropa. Sentada en una butaca, observaba sus compras con expresión de angustia.

—Si pudiera hacerlas desaparecer —murmuraba.

—¿Ya no quieres nada de lo que has comprado?

—Daría dinero para que alguien se lo llevara todo de aquí. No quiero ni verlo. Odio haber gastado tanto.

Sin embargo, tenía los ojos clavados en la ropa, como si no pudiera desprenderse de esa visión.

—Mira a ver si algo te gusta —pidió.

Me senté sobre la cama y examiné las compras de Raquel.

—Pruébate los trajes de chaqueta —dijo, más animada, al ver mi interés—. A mí me quedan un poco ajustados, pero la dependienta me animó. Me dijo que eran buenísimos, una oportunidad. Y el color, ¿no crees que los colores son preciosos? En realidad, son de tu estilo. No sabes lo bien que te queda.

Me había probado uno de ellos. Me miré en el espejo.

—Pruébate ahora el otro, estoy segura de que te va a quedar fenomenal.

Había cambiado de expresión. Se había puesto de pie y me observaba, sonriendo, regocijada. Me probé el otro, me probé las blusas. Me lo probé todo.

—No te puedes imaginar lo bien que te sientan. Esta ropa te favorece. Es la ropa que te hubieras comprado, no me digas que no. Y es una oportunidad. ¿Has visto las etiquetas? Están a mitad de precio.

Decidí quedarme con un traje de chaqueta, dos blusas y un camisón de seda. Mi hermana, mucho más animada ya, trajo cerveza y unos cacahuetes. Estábamos recostadas sobre las camas, rodeadas de ropa nueva, sin estrenar. Se diría que acabáramos de llegar de un largo viaje cargadas de regalos, y, muy cansadas, pero satisfechas de las compras, nos habíamos dejado caer sobre la cama, mientras fumábamos un cigarrillo y bebíamos cerveza.

—Un psiquiatra —dijo Raquel, con una sonrisa complacida en los labios, seguramente pensando en el psiquiatra al que había visitado— interpretaría estas compras como una carencia de tipo afectivo. O insatisfacción sexual.

—No creo en la satisfacción sexual —dije—. Son los hombres los únicos que tienen la fórmula de la satisfacción. Para la mujer, obtenga o no esa satisfacción, la vida sigue siendo lo mismo: insatisfactoria.

Mis propias palabras me hicieron recordar a Alberto Villaró y a su irresistible tendencia a teorizar sobre las mujeres. Tal vez él también hubiera sostenido eso: que las mujeres no pueden estar o sentirse satisfechas jamás o que para ellas la satisfacción sexual, cuando la obtienen, no es símbolo de nada, no demuestra ni significa nada. Para Alberto Villaró, ésa sería la clave del inmenso poder de las mujeres (me hubiera dicho, sin inmutarse: de vuestro poder).

—¿Tú crees que es así? —preguntó Raquel—. No es una teoría muy alentadora.

—Tal vez no debería generalizar. Tal vez eso sólo me pase a mí —dije.

Yo no me sentía muy animada, desde luego. Pensaba en Alejandro y en mi repentina desconfianza hacia él, de la que James era en definitiva culpable. A pesar de todas mis teorías, tenía ganas de verle.

Después de guardar parte de la ropa de Raquel en una bolsa, cogí un taxi y regresé a casa. Lo primero que hice en cuanto llegué fue llamar a Alejandro, pero una mujer me informó que Alejandro estaba en El Saúco. Cuando supo quién era yo, añadió:

—Me dijo que si usted le llamaba le dijera que intentó hablar con usted antes de irse. La señora se ha puesto enferma, por eso se fue.

—¿Qué señora?

—Doña Carolina.

Hubiera podido llamar a El Saúco, pero yo lo que quería era ver a Alejandro, no hablar con él. Y había demasiadas personas en aquella casa y sabía dónde estaba el teléfono, siempre próximo a la tía Carolina.

Hablé con Alejandro al día siguiente, y muchos días más durante el mes de agosto. Me describía la situación en «Nuestro Retiro». La tía Carolina estaba agonizando, pero su fuerte corazón se resistía a morir. La madre de Alejandro no se apartaba de la cabecera de la cama. Araceli se quedaba a dormir. El administrador estaba más pálido y silencioso que nunca. En el salón de abajo, había todos los días una congregación de amigos, seguidores fieles de los últimos instantes de la señora de la casa.

Todo aquello le había hecho olvidar mi enredo con los espías y mi tentación de colaborar con ellos. Las horas que había pasado con James parecían haberse perdido. Yo, a cambio, debía olvidar que el papel donde James había anotado su teléfono se había perdido también.

A final de agosto, Alejandro seguía en El Saúco. La tía Carolina había experimentado una extraña y súbita mejoría. Yo tenía que ir a Bruselas a una reunión de trabajo. Hubiera querido que Alejandro me acompañara, pero no me decidí a pedírselo. Salí de casa a las ocho de la mañana. Presenté mi billete en el mostrador de facturación. Por un absurdo error, la vuelta no estaba cerrada ni pagada, por lo que decidí arreglarlo, dado que disponía de tiempo antes de que saliera el avión. Al buscar mi tarjeta de crédito para pagar el billete, se cayó un papel al suelo. Lo reconocí en seguida: era el papel de James. Sin duda, yo lo había puesto allí, en mi cartera, junto a las tarjetas de crédito, en un gesto inconsciente. Allí había estado siempre.

El hallazgo de la nota de James en mi propia cartera me venía a demostrar que yo había sido demasiado suspicaz y que mi imaginación había ido demasiado lejos, convirtiendo El Saúco en una base de operaciones de una oscura trama de espionaje internacional —oscura, porque Gudrun Holdein la dirigía; era el motor, el cerebro— de la cual Alejandro era una pieza, acaso sin saberlo él. Pues bien, el papel estaba en mi cartera, Alejandro quedaba libre de toda sospecha y mi intuición por los suelos, totalmente desacreditada. Todo lo cual era un indiscutible bien porque no me gustaba en absoluto que Alejandro fuera un traidor, y me sentía aliviada, como me había sentido aún más aliviada al poder hablar con mis padres por teléfono después de haberlos imaginado yacentes y fríos sobre las baldosas de la cocina. Pero a nadie se le oculta ya el significado de esa visión —la de la muerte—, que tan frecuentemente se produce en la imaginación de los hijos referida a los padres y, por lo que me han contado y todavía con mayor intensidad y horror, también en la de los padres respecto a los hijos. Ese escondido deseo de independencia y liberación que, llevado al límite de la muerte, nos sumerje en el dolor, las lágrimas —me consta que algunas personas lloran imaginando, sólo imaginando, un suceso así— y la culpabilidad, de donde regresamos bien dispuestos a asumir nuestra carga y nuestra dependencia o sumisión. De manera que la hipótesis de la traición de Alejandro podía revelar mi deseo de traicionarle yo —cosa que había hecho, aunque sólo por espacio de unas horas—, y, para confirmar esa nueva hipótesis, me sorprendí pensando que ya no tenía ganas de llamarle.

En Madrid, al bajar del avión, volví a respirar aire caliente. El aeropuerto estaba lleno de personas que habían concluido sus vacaciones. Los compadecí, por las vacaciones, por el regreso o por sus vidas. Estaba invadida por un absurdo deseo de venganza, tal vez porque nadie me esperaba en Madrid y aquel viaje había sido cansado y aburrido. Pero todas aquellas personas parecían felices, rodeadas de sus bolsas y maletas, vociferantes, morenas, dificultando el paso de los demás, pletóricas porque sus planes se habían cumplido, ostentosas en su colmado descanso, renovada su exasperante disponibilidad para el trabajo. Me puse a la cola de los taxis, sin dirigirles una sonrisa, sin desearles, por lo menos, ni un grado de felicidad más. Y entonces recordé que hacía un año también me había puesto en la cola de los taxis, de vuelta de mi viaje a Oriente, y allí me había despedido de Mario, a quien tan pocas veces había visto a lo largo del año. Y lo lamenté, porque fuera lo que fuese lo que nos hacía acudir uno al otro cada cierto tiempo y lo que más tarde nos llevaba a la despedida, tenía su parte inocente y de emoción. En aquel momento, me atravesó fugazmente, me nubló repentinamente la vista.

Al fin, un taxi me llevó a casa. Mi casa vacía, con las persianas echadas y las ventanas cerradas, las fundas sobre los sillones y un ambiente de desolación. Mi casa de siempre. Tal vez la tía Carolina había muerto ya y Alejandro estaba presidiendo los funerales del brazo de su madre y todos los vecinos de El Saúco estaban desfilando ante ellos para darles el pésame, envidiándoles, en realidad, porque eran los nuevos propietarios de la casa y de la fortuna de su dueña.

Sobre la mesa camilla, frontera que protegía a mi madre de toda interferencia en su intimidad, estaba el correo: lo había subido el portero, encargado, también, de regar las plantas. Había cumplido: las plantas ocupaban más espacio y parecían más verdes que nunca, más llenas de vida. Y una torre de cartas de todos los tamaños descansaba sobre la mesa, como si, atribuyéndose una cualidad humana, se hubieran propuesto conscientemente agradarme, a sabiendas de que los regresos son difíciles y se necesita, al menos, la simbólica presencia, el testimonio, de otras personas que por una u otra razón se dirigían a mí.

Dos cartas llamaron mi atención. Sellos y matasellos extranjeros. Se destacaban entre la propaganda y un par de tarjetas de hermosas ciudades y playas: un sello de Londres, otro de Honolulú. Los nombres escritos en remites no me dijeron nada, pero podían ser falsos. Volvía el mundo de los espías, de la KGB y los servicios secretos de nuestra civilización occidental. Cogí el sobre que venía de Honolulú. Mejor empezar por lo más desconocido y más lejano.

Mientras rasgaba el papel, imaginé un calor aún mayor que el que reinaba en mi casa sofocante, un sol ardiente que quemaba la arena y las hojas de las palmeras, que recalentaba el aire bajo las sombrillas, y gente desocupada con camisas de dibujos de flores, gorras blancas de visera, gafas oscuras de sol, mujeres de brillantes cuerpos bronceados en bikini que pasan, sonriendo, junto a un hombre que toma lentamente un batido de frutas.

Me senté en el sofá. Desdoblé la carta y busqué la firma: Gudrun Holdein. Aunque James no me lo hubiera anunciado, yo siempre había sabido que volvería a escuchar o leer ese nombre. Allí estaba. Desde Honolulú. Traté de tragar saliva y no pude. La sequedad atenazó mi garganta. Fui a buscar un vaso de agua. Subí las persianas y abrí la ventana del cuarto de estar. Eran las cinco de la tarde y entraba calor, pero al menos se renovaba el aire atrapado durante más de una semana, si es que el portero no había realizado la higiénica operación de airear la casa cada noche, cuando había subido a regar las plantas.

Leí:

Querida amiga: le extrañará recibir esta carta mía desde Honolulú, pero he aprovechado el viaje de un amigo para que le envíe él la carta. Desde donde yo estoy, no le llegaría nunca. Tenía algo que decirle antes de que las cosas empeoren y ya no tenga oportunidad de escribirle. Mi vida se va a hacer muy difícil a partir de ahora. Echaré de menos mis viajes y todas las experiencias que me han proporcionado. Una de ellas fue conocerles a ustedes. La gente que he conocido en mis viajes me ha reportado más satisfacciones que los más bellos monumentos, allí donde las culturas fueron dejando su huella, y los más im-

presionantes paisajes, en los que ningún hombre se ha internado todavía. He disfrutado mucho sacando fotografías de las ciudades que he visitado y de los paisajes que se deslizaban delante de mí, porque los paisajes siempre se deslizan y nunca te pertenecen. Las ciudades son más acogedoras, mientras encuentres un viejo hotel agradable, un restaurante discreto y un café donde pasar las horas muertas de la tarde. Ésa ha sido mi vida durante mucho tiempo, pero ya no tengo conmigo ni el álbum donde he ido pegando mis fotografías. He llevado una vida ambulante y eso me ha permitido estar atenta a los detalles más superficiales y más indicativos de las vidas humanas. La gente, incluso la gente más desgraciada, quiere consolarse de cualquier forma y muchas veces a cualquier precio. Es el instinto de la supervivencia lo que empuja a este mundo tan insatisfactorio que a veces soñamos con hacer mejor. Como cualquier otra persona, he tenido ideales y ambiciones y también fe. No sabría decirle si la sigo teniendo. Perseguimos la bondad inútilmente, sólo porque alguna vez nos deslumbró su destello. El único camino por el que avanza el tiempo es el del envilecimiento, la crueldad, el egoísmo. Darle a todo esto el nombre de arrepentimiento sería falso, porque estoy convencida de que, de vuelta al mundo, del que ya estoy apartada y del que cada día me alejaré más, volvería a enredarme en esa hermosa cadena de idas y venidas que seguramente acabaré por olvidar. Le escribo antes de olvidarme por completo, antes de que la memoria se paralice o me traiga recuerdos que nunca he vivido, que borre todo impulso de amor.

Querida amiga, interprete estas líneas como un desahogo de una mujer mayor a la que ya no le queda esperanza ni ilusión, una leve protesta a desaparecer sin dejar tras de mí la más mínima huella. Si algo me queda por decirle, si es que he conseguido expresar este conjunto de emociones que todavía desean formularse y perdurar, si algo, en fin, me queda por explicarle, es por qué me dirijo a usted en estos momentos de desolación. Usted despertó en mí un viejo, eterno sentimiento, la única emoción por la que merece la pena vivir y sin la cual morimos lentamente. Le estoy hablando de amor, sí. Ya no me avergüenza decirlo. No tendría sentido avergonzarse de un sentimiento tan hermoso. Me permití darle el brazalete, expresión de mi amor, y no del de aquel muchacho, y mentirle al respecto, pero no quiero dejar esta mentira detrás de mí, sobre todo, cuando mi regalo se ha vuelto contra mí y tengo la necesidad de declarar que de eso sólo yo tengo la culpa, por haberle mentido. Soy yo quien la ama, quien la tiene siempre en mis pensamientos y en mi corazón. Mi gratitud es inmensa si todavía está usted allí, sosteniendo este papel donde escribiré mi nombre por última vez sabiendo, de todos modos, que usted lo está leyendo, dedicándome un recuerdo. Su hermosa mirada en la piscina del hotel Imperial, esa mirada que traté de cristalizar en una simple y humilde fotografía, es lo que me sostiene todavía. Y lo terrible es saber que también eso desaparecerá de mi memoria.

Adiós, amiga Aurora. Su hermoso nombre es, también, un motivo de alegría. Que el destino le reserve felicidad y amor.

GUDRUN HOLDEIN

Gudrun Holdein, espía rusa, como una vieja película en blanco y negro. Sentí de nuevo una intensa sequedad en la garganta. Fui a la cocina a llenar mi vaso de agua. Cambié de parecer y me serví whisky.

Tal y como había vaticinado James, las noticias de la señora Holdein habían llegado hasta mí. Ignoraba, de momento, si él había previsto la forma que esas noticias tendrían: un mensaje sentimental y desesperado, una declaración de amor. El adjetivo que mi madre aplicaba a Raquel acudió a mi cabeza: pobre señora Holdein, me dije. Y en cierto modo me alegré de haberle ocultado a James la temblorosa proposición que ella me hizo en casa de mis padres.

Honolulú, leí de nuevo en el remite. Ese nombre, de por sí un poco cómico —las ciudades relacionadas con la señora Holdein eran así: Katmandú, Honolulú, como si las escogiera conscientemente, tal vez con el propósito de hacerse perdonar la difícil, casi desagradable sonoridad de su nombre— era lo único que restaba algo de dramatismo a su carta.

Entre todas las declaraciones que acababa de leer, había una que me intrigaba especialmente: la que se refería a mi brazalete. Quedaba ya establecido que el regalo había sido suyo, pero ¿de qué manera se había vuelto contra ella?, ¿con qué objeto James me lo había pedido y qué uso había hecho de él? Cogí la carta proveniente de Londres con la sospecha de encontrar las respuestas a esas preguntas, como de hecho, al menos, en parte, fue.

La carta, como había supuesto, era de James Wastley. En su correcto inglés, había escrito:

Querida Aurora: antes de nada, quiero agradecerte tu colaboración y disculparme porque no puedo cumplir mi promesa de devolverte el brazalete que te regaló la señora Holdein, ya que es completamente seguro que fue ella quien te lo regaló y no, como te dijo, Ishwar. A decir verdad, cuando te lo pedí, no estaba seguro de que pudiera recuperarlo, pero tampoco preveía que tal cosa sería imposible. Ahora que todo ha terminado, no puedo por menos que darte una explicación y excusarme por el margen de engaño que hubo en nuestro encuentro. Sospechábamos que la señora Holdein te había dado algo y lo queríamos porque podía suponer una prueba de sus veleidades —vamos a llamarlas así—, una prueba en sí misma insuficiente, pero que unida a otras serviría para desacreditar a Gudrun Holdein a los ojos de la propia KGB, que era el objetivo que teníamos que alcanzar. Queríamos que cayera en desgracia dentro de su mismo aparato. Ése es el método más eficaz. Parece, aunque no lo hayamos podido confirmar, que además el brazalete había sido robado de una colección de joyas antiguas a la que la señora Holdein tenía acceso. El caso es que la jugada —«nuestra» jugada, la del servicio secreto— ha funcionado. La señora Holdein se enamoró de ti en Delhi, lo comprendí en seguida. Tu aventura con Ishwar no me pudo ocultar lo que estaba sucediendo. Y desde Delhi supe que tú podrías aportar una prueba para su descrédito y caída.

Por si te sientes culpable de haber contribuido a la caída de la señora Holdein, cosa que comprendería perfectamente, porque desde el punto de vista personal ella no te ha hecho ningún daño y es inútil que te pida que adoptes nuestro punto de vista, te diré que el plan hubiera funcionado de todos modos, con o sin ayuda de tu pulsera. Gudrun Holdein estaba ya acorralada. Sólo era cuestión de tiempo.

Ya no es probable que vuelvas a tener noticias suyas. La KGB es bastante estricta con las veleidades —de nuevo acudo a esta palabra vaga y amplia— de sus agentes y en realidad, y eso es lo grave, no se ha podido demostrar para qué vino la señora Hol-

dein a España. Si algo no tolera el aparato es que se hagan costosos desplazamientos que, bajo la excusa de una misión especial, se revelan luego totalmente ajenos a sus intereses. Corrupción, tal vez robo, y desviación sexual, ¿qué más quieres?

Sin embargo, no hay que cargar las tintas y en algunos asuntos hay que decir la verdad. Hemos investigado la muerte de Ángela y creo que estoy en condiciones de asegurar que la señora Holdein no tuvo nada que ver con ella. Vio a Ángela, desde luego, y tal vez hasta le propuso, más o menos veladamente, que colaborara con la KGB. Estoy casi seguro de que lo intentó, aunque no conocemos la respuesta de Ángela. Lo que sí sabemos es que Ángela sufría desvanecimientos y ataques de pánico. Estaba trabajando una tarde por semana en casa de una señora que le había pedido asesoramiento fiscal. Se desmayó en la casa, a media tarde, y cuando la señora la acompañaba a su casa en un taxi, sin que pueda explicarse por qué, Ángela abrió la puerta del taxi y se tiró a la calle. Murió inmediatamente, arrollada por un coche, eso ya lo sabes. No se supo nada de esa señora hasta que ella misma se presentó a la policía y parece que se ha verificado su versión. Una rara historia, en todo caso, pero cierta.

Pero esto no es todo, desde luego. Sigue quedando lo principal. Cuando tus ojos se cruzaron con los míos en el viejo restaurante de Delhi, decidí utilizarte y seducirte, las dos cosas a la vez. Sabía que habíamos concertado un encuentro, y sabía que tú también lo sabías. En eso, ninguno de los dos fuimos inocentes. Admítelo. De eso no me arrepiento. Dejemos a Ishwar e incluso a la señora Holdein fuera de este juego. Son en eso más inocentes que nosotros.

Pero el juego se ha terminado. Tuvo un par de

217

buenos momentos. Si te escribo esta carta es por-
que no se han perdido. Yo siempre los guardaré. Y
prefiero que sepas cómo han sido las cosas. Hasta
siempre.

JAMES

El juego se había terminado, desde luego. Para
James, para la señora Holdein y para mí. Tuve la
tentación de sentirme ofendida, por haber sido utili-
zada contra la señora Holdein sin contar con mi completa aquiesciencia. Habían sido crueles con ella.
Tuve la tentación de sentirme culpable. Pero tampoco la señora Holdein había jugado limpiamente conmigo. ¿Quién juega limpiamente? Y era lo suficientemente orgullosa como para no creer que James me
había llevado a la cama —al lecho, hubiera dicho Alberto Villaró— sólo para poder pedirme después, con
más confianza, el brazalete. ¿Qué habría dicho —y
pensado— la señora Holdein a la vista del brazalete? En su carta, no me hacía ningún reproche. Era
tarde para hacer reproches y todos debíamos de
saber bien que por lo demás los reproches son completamente inútiles. Yo había sabido desde el mismo
momento en que vi a James aparecer por la puerta
del bar del hotel de Delhi que James era una persona acostumbrada a jugar con ventaja, pero había querido jugar. Pobre señora Holdein: ésa era la única y
real conclusión.

Todo lo que me había sucedido era resultado, a
fin de cuentas, de mi predisposición innata para el
enredo, en el que caía, una y otra vez, por curiosidad, por deseo de gustar y conquistar, por huir del
aburrimiento o del vacío, o simplemente por huir.
De todas las personas que habíamos pasado unos
días en Delhi, comiendo, bebiendo o acostándonos
con posibles espías, únicamente yo les había hecho

pensar que podían utilizarme o conquistarme, debido, seguramente, a un fallo ostensible de mi carácter: demasiada disponibilidad.

Me serví más whisky. Eran las seis de la tarde y no tenía nada que hacer excepto seguir bebiendo y decirme que tal vez debería andarme con más cuidado y apartarme de todas las personas sospechosas que me miraran fijamente, con insistencia, Dios sabe con qué intenciones.

14

EMPEZABA A OSCURECER. Abrí, al fin, todas las ventanas, y me asomé a la terraza para mirar hacia abajo y hacia la casa de enfrente. Desde otras ventanas, desde otras terrazas, otras personas observaban la vida que transcurría al fondo de la calle y me observaban a mí. Nuestra terraza era de las pocas que había permanecido intacta en nuestro bloque de pisos. Casi todas habían sido acristaladas; habían servido para ampliar un cuarto de estar algo pequeño. Había polémica entre mis padres y cada cierto tiempo discutían por eso, pero mi madre se negaba a esa ampliación porque, sobre todo, le molestaban las obras, las complicaciones. Alegaba que en verano salía al balcón a disfrutar de la corriente de aire nocturna, pero jamás la habíamos visto sentada sobre el descolorido sillón de mimbre que sacaba a la terraza a mediados de mayo. ¿Qué hubiera podido observar mi madre, a quien con una mirada fugaz le bastaba para creer que había penetrado en el espíritu profundo de las personas? Mi padre, harto de discutir, irritado una vez más, porque había planeado arreglarse allí un rincón especial para él, se daba por vencido y se refugiaba tras una rígida máscara de mal humor, y allí permanecía durante un par de días. Sin embargo, era posible que la terraza se acristalara alguna vez, porque siempre gana quien más insiste, quien se ha marcado una meta y, en realidad, la oposición de mi madre era cada vez menos firme.

Al final, probablemente sería yo quien más lo iba a lamentar, porque había contemplado muchas veces la casa de enfrente, apoyada en la barandilla de hierro, sintiendo un ligero vértigo al mirar hacia abajo, pero reconfortada mi curiosidad al vislumbrar el interior de las habitaciones iluminadas de los otros pisos. Creía conocer de memoria esa fachada de balcones redondeados y barandillas de barrotes horizontales, al estilo de los años veinte. Era una casa que horrorizaba a mis padres; tal vez la consideraban el símbolo de la mediocridad y pensaban que la nuestra era superior porque era más moderna y su portal tenía un aire pretencioso, frente al portal estrecho y lúgubre de la casa de enfrente. La había mirado tantas veces, había lanzado tantas largas miradas hacia sus interiores en penumbra, que me creía capaz de describirla con los ojos cerrados. Pero no era verdad. Con los ojos cerrados no era capaz de decir con exactitud si los bordes de las terrazas del último piso, a la misma altura que el nuestro, estaban rematados con un barrote de hierro. Había ese punto oscuro, por ejemplo. Y otros más: la forma exacta de las ventanas, la situación de las chimeneas o la frecuencia de esos pequeños balcones que sin duda correspondían a un dormitorio. Con los ojos cerrados, sólo podía ver una masa de color, huecos, líneas que se doblaban. Todo muy impreciso.

Una mujer con una bata de flores y espeso pelo oscuro miraba hacia mi casa con infinito cansancio, sin un solo pensamiento al fondo de sus ojos. Estaba apoyada en el alféizar y parecía una estatua. Seguramente, acababa de levantarse de la siesta, una larga siesta de verano, y estaba todavía un poco dormida. Un hombre en pijama, dos pisos por debajo del de la mujer, paseaba unos ojos curiosos por nuestra fachada. Debía de saberse de memoria, en el caso de que su memoria fuese mejor que la mía, la posición de nuestras terrazas y ventanas y tal vez hasta llevaba la cuenta de la conversión de las terrazas en miradores. Me miraba, desde abajo, sin ninguna intención de saludarme, como si yo fuera una maceta o una cortina. Casi todas las ventanas del piso de enfrente estaban abiertas. En un cuarto, una mujer estaba tendida sobre la cama. En otro, tres personas, de espaldas a mí, contemplaban la televisión. Se atisbaban, en otras habitaciones, otros aparatos de televisión. En la terraza de enfrente, apareció una joven con una regadera en la mano. Observó las plantas con concentración y fue vertiendo el agua de la regadera sobre las macetas.

Las vidas de la casa de enfrente, sólo intuidas, eran, todas, envidiadas por mí. No eran, sin duda, tan distintas de la mía, pero todas parecían resueltas, acabadas, en su aburrimiento perfectamente justificado de tarde de verano. Todavía sin completar, como cualquier vida humana, e igualmente dignas de compasión unas y otras, todas parecían asombrosamente autosuficientes a esa hora de la tarde, cuando se inicia el declive de la luz. Mis vecinos reflejaban un interior sin fisuras mientras miraban hacia abajo o hacia la casa de enfrente, la mía. La mujer de la bata floreada y el pelo desordenado perdió repentinamente su anterior cualidad de estatua, ese homenaje a la pereza y a la indiferencia más profundas, y después de apoyar la cara en una de sus manos, paseó la mirada por el fondo de la calle, como si buscara algo.

Imaginé cómo sería mi vida en su casa, siendo yo esa mujer u otra cualquiera, moviéndome por habitaciones ahora desconocidas y que serían las mías. Ése era el vértigo de lo eternamente conocido, de los secretos desvelados. Mejor ignorarlo.

Un chico, asomado a una ventana del cuarto piso, me estaba mirando con curiosidad, invitándome, tal vez, a iniciar un difícil diálogo por encima del hueco de la calle. Y era posible que, por señas, acabara por proponerme una cita en uno de los numerosos bares de nuestra calle. Podía bastar con un gesto. El chico debía de estar cansado de permanecer encerrado en su cuarto. Debía de ser un estudiante harto de tratar de aplicar su inteligencia y su memoria a asuntos que no saciaban su interés. Me sonrió tímidamente, con los labios cerrados, y le devolví la sonrisa, trayéndome el recuerdo de todos mis encuentros con un hombre. Mis historias de amor habían sucedido, todas, hacía mucho tiempo. Siglos. Pero volvieron cuando el chico me sonrió.

Los inicios: eso era lo que yo buscaba una y otra vez. Repetir el comienzo hasta el infinito. Asomada a mi terraza, fui perfectamente consciente de que las historias que más me gustaba recordar eran las que menos habían durado: una sola noche, unas horas; historias efímeras, sin pretensiones, sin proyección, sin consecuencias. En la continuidad, mi vida entera, mi posición en el mundo, se tergiversaba, y los afanes de dominio, provenientes de una u otra parte, perturbaban y acababan destruyendo mi felicidad. La plenitud de ese momento anterior se grababa, autosuficiente y único, en mi interior, tan acabado como el discurrir de las vidas ajenas en mi imaginación.

Sentí la tentación de contarle mi vida al chico de la casa de enfrente en el mostrador de cualquier bar. Contarle, más que nada, todas las desdichas de mi vida, los malos resultados y los decepcionantes finales. La tentación de expresarme, de desahogarme, de que alguien me diera la razón en todo y acabara por concluir que yo me merecía mucho más y que tenía todo el derecho de esperarlo mientras iba cayendo la tarde; todavía quedaba la noche.

Desde alguna casa vecina, llegó hasta mi terraza el timbre de un teléfono que nadie contestó. Recordé la histeria que se apoderó de mí en Jávea al no poder hablar por teléfono con mis padres. Había sentido, allí, sin poderlo dominar, el pánico del vacío, la premonición de la muerte. Insiste, le recomendé a la persona desconocida que llamaba, no abandones.

Días después, Alejandro me llamó desde El Saúco. La tía Carolina había muerto, lo que se venía anunciando desde hacía un mes, pero lo que no se preveía, lo que sorprendió y escandalizó a todos, fue su testamento. Menos a una persona, por supuesto, quien podía haberse sorprendido pero no escandalizado: Ramiro Salas, el administrador, el principal beneficiario.

—¿Has recibido mi carta? —me preguntó Alejandro.

Por un momento, me desconcertó, porque yo había recibido dos cartas y ninguna de las dos era suya, pero me habían afectado tanto que la sola mención de la palabra me remitía a ellas.

—La recibirás en seguida. Allí te lo explico todo. Ya no soy un rico heredero.

—¿Cómo está tu madre? —le pregunté.

—Supongo que todavía no se lo cree. Está en Madrid. Quise que se alejara de todo esto, ya te imaginas qué ambiente se respira aquí. Pero hay cosas por aclarar y precisar. Me paso el día encerrado con el abogado.

Dos días después, llegó su carta. En ella me explicaba cómo habían sido los últimos años de la vida de su madre.

Mi padre era un hombre insoportable —escribía—. *Estaba muy poco en casa y siempre lo recuerdo enfadado, reclamando algo, protestando. Ganó dinero, pero se lo gastó. Pasaba muchas noches fuera
de casa. Era un hombre de otra época. Tal vez pensaba que ése era el comportamiento normal en un
hombre. Cuando él murió, hicimos números. Estábamos casi en la ruina. Fue entonces cuando la tía Carolina le pidió a mi madre que fuera a vivir con ella,
y abrió una cuenta a mi nombre. Supongo que mi
madre aceptó por mí, que fue comprada, aunque ella
lo niegue. Dice, todavía, que lo hizo por caridad, porque la tía Carolina era la única persona que tenía en
el mundo y que las dos debían ayudarse y hacerse
compañía. Mi cuenta crecía, entretanto.*

Era una carta larga; estaba llena de detalles, de
explicaciones. Últimamente, yo estaba recibiendo demasiadas explicaciones. Me empezaban a molestar.
Nunca eran las que hubiera esperado.

En el último párrafo, leí:

*Hay dos cosas que podemos hacer: aceptar lo que
tenemos, que no es en absoluto despreciable, o im-
pugnar el testamento de mi tía y tratar de probar
que lo dictó bajo presión. Y hay, por supuesto, un
camino intermedio: llegar a un compromiso entre ca-
balleros. El abogado de Ramiro Salas ya lo ha dejado entrever. No quieren problemas. Y hay mucho dinero. Supongo que esto será, al fin, lo que haremos.*

Luego decía que tenía muchas ganas de verme y
muchos proyectos y muchas ideas. Su madre me
tenía una gran simpatía. Siempre preguntaba por mí.
Pensé en la madre de Alejandro y en el rato silencioso que pasamos frente al estanque, sentadas en

un banco de piedra. Las únicas palabras que había pronunciado en el brevísimo diálogo que había tenido lugar entre nosotras se habían referido a la belleza del escenario, a las estaciones. No se había lamentado de su vida ni de su suerte y, acostumbrada yo a que normalmente las personas me confiaran sus desdichas con la esperanza o el propósito, en algunos casos, de que yo resolviera sus problemas, agradecí su silencio. Al verme a lo lejos paseando por el jardín, me había hecho un gesto con la mano para que me acercara a ella y me sentara a su lado, pero no esperaba nada más de mí ni buscaba mi consuelo ni mi apoyo. Sean cuales fueren las razones por las que tras la muerte de su marido se había ido a vivir con su prima no necesitaba pregonarlas; las había guardado en su interior y allí permanecían y, olvidadas o no, no perturbaban la paz de su mirada. Ojalá nada consiguiera perturbarla.

Cuando, días más tarde, vi a Alejandro, ya en Madrid, ya dueño de una fortuna bien negociada, no tan vasta como había esperado, pero de dimensiones bastante satisfactorias, me dio otro tipo de información, que mi imaginación ya había anticipado y que explicaba aquel testamento inesperado.

—Tenían un lío —dijo—. Mi tía y el administrador. ¿Te lo imaginas? Supongo que era él quien iba a visitarla a su cuarto. Se deslizaría por los pasillos como una sombra, para lo que no tendría que esforzarse mucho, puesto que tiene ya la apariencia de una sombra. Estoy convencido de que mi tía era una mujer apasionada y él la obedecería, como siempre hacía. O era, tal vez, al revés. A lo mejor, en la intimidad de la alcoba, el juego se invertía, y mi tía Carolina se convertía en una mujer solícita, humilde, servicial, y Ramiro en un hombre dominante, hasta un poco sádico. Años y años guardando este secreto, viviendo solamente para la noche, soportando Ramiro las humillaciones, relegado al puesto de un simple sirviente. Al fin, alcanzó su premio. En cierto modo, se lo ha ganado.

Seguramente, no estaba equivocado. Seguramente, yo también hubiera imaginado esas escenas de haber vivido esa historia tan de cerca como él. Y las imaginaba, porque había conocido a la tía Carolina y a su administrador. Pero no era mi familia ni mi fortuna ni mis planes ni mis obsesiones.

Mi ruptura con Alejandro fue suave. Cada cual se quedó en su mundo, puede que evocando, alguna vez, que hubo buenos ratos durante el largo mes que pasamos a la orilla del mar en un paréntesis que se abrió en nuestras vidas cercadas por viejas historias familiares y una enrevesada trama de espionaje en la que yo me dejé envolver, por razones que analizo una y otra vez un poco inútilmente.

Había acabado el verano. Madrid volvía a recuperar su ritmo de gran ciudad desbordada, que promete más expectativas de las que es capaz de cumplir. Y, dentro de ese ritmo, las personas pierden un poco el suyo, se diluyen en las tensiones de la ciudad, se adaptan a sus reglas, más o menos fácilmente, con más o menos resistencias.

A pesar de que aquel verano me había traído decepciones y momentos difíciles, hubiera preferido que no se terminara, porque el otoño es demasiado melancólico y hay que tener deseos de hacer algo, y alguna meta. Yo no tenía nada. Mi trabajo, mi casa, mi familia. No era bastante.

Mis padres, con el reciente recuerdo de su estancia en El Arenal, estaban contentos. Nuevamente hablaban de trasladarse a vivir allí, nuevamente alegaban, para no hacerlo, que no podían dejarme sola, que era su hija menor, que debían cuidarme.

Gisela von Rotten, cada vez más unida a mi madre, pasaba muchas tardes en casa. Las dos hablaban, mientras mi padre se refugiaba detrás de viejos volúmenes polvorientos que relataban las guerras del pasado, de la necesidad de vivir en el presente, de ser generosos, de poder perdonar. Gisela continuaba con sus muchas actividades. Mi madre le daba apoyo moral. No estaba acostumbrada a salir de casa para resolver problemas ajenos. Ayudaba si eso no suponía moverse de su butaca. Pero Gisela era benévola con ella. Lo que pedía de mi madre, ella se lo daba. Quería hablar de la miseria del mundo y no ser dejada de lado. Mi madre la escuchaba atentamente. Suspiraba. «Menos mal que existen personas como tú», decía.

Raquel, cuando nos visitaba, también se ponía de su parte.

—Las mujeres —decía, algo irritado, mi padre— siempre halláis consuelo en la lamentación. Parece que os guste que todo esté tan mal.

Olvidaba que durante toda su vida no había hecho otra cosa que quejarse. Las lamentaciones de mi madre y Gisela eran más abstractas. Se habían convertido en dos damas filosóficas.

—¿Te acuerdas del psiquiatra? —me preguntó un día Raquel con la mirada luminosa—. Al fin, le llamé.

Se veían todas las semanas.

—Jamás pensé que mi vida fuera a cambiar —dijo.

Se planteaba seriamente su separación de Alfonso. No tenía un trabajo, se había desconectado de toda posibilidad profesional, tampoco era rica. Al psiquiatra esas cosas no le importaban. Se había separado de su mujer y estaba dispuesto a casarse con

Raquel. Pero Raquel no quería repetir sus errores.

—Qué más te da —le dije—. Los errores nunca son los mismos.

—Lo acabaré haciendo —decía—. Pero prefiero esperar un poco.

Tenía miedo de la reacción de Alfonso y de la de sus hijos. Temía la soledad.

Una tarde todavía tibia, a la salida de mi oficina, mis pasos se dirigieron, apenas sin darme cuenta, hasta la casa de Mario. Me pregunté si estaría allí y si no sería más recomendable llamarle por teléfono y preguntarle si le apetecía verme. A lo mejor, mi visita resultaba inoportuna. Sin embargo, me arriesgué. Si las cosas salían mal, tampoco perdía mucho. Había perdido muchas cosas durante aquel verano. Sería una cosa más.

Pero Mario estaba. Me miró, sorprendido.

—¿Es que no esperabas verme nunca más en la vida? —le pregunté.

Había pasado el verano en Túnez y me habló de todo lo que había visto con su entusiasmo de siempre.

—¿Encontraste a tus padres? —me preguntó, medio irónico, porque él me había dado el teléfono de la hermana de Juana, cuando le había llamado desde Jávea.

—No fue fácil. Tenían el teléfono estropeado. No se les ocurrió decirle a Juana que me llamara.

—Vives demasiado pendiente de ellos.

Me ofreció algo de beber. Nos sentamos en el sofá.

—No sabes la cantidad de cosas que han pasado este verano —dije.

—¿Me las vas a contar? —preguntó.

Estaba deseando contárselas, en aquel momento lo comprendí. Mario era la única persona que podía seguir con atención cuanto yo podía contar. No era fácil explicar las vueltas que había dado la historia desde la aparición de James, y no eludí, por primera vez, ningún detalle. Y, al fin, todo quedó ligado, más ligado de lo que en realidad estaba, porque cuando las cosas se cuentan se transforman y simplifican.

En los ojos de Mario había un destello irónico.

—Todo ese asunto del brazalete acerca del cual todo el mundo miente —dijo—, parece sacado de una de esas óperas que tanto les gustan a tus espías.

—¿No te lo crees?

—Posiblemente, es cierto —dijo, pensativo, mientras encendía un cigarrillo—. A menudo sucede que lo que parece más irreal y ficticio es lo único verdadero. Pero déjame que añada un nuevo dato a todo lo que me has contado, un dato que es un recuerdo y que puede ofrecer una interpretación más compleja. En todo caso, yo me suelo fiar de lo que mis ojos ven y observan y mis oídos escuchan. Supongo que recuerdas la escena que protagonizó tu espía en el bar del hotel, cuando, recién llegado del viaje, apareció con tu amigo, en tu busca y también en la mía para proponernos salir a cenar. La señora Holdein, con los ojos brillantes y francamente excitada, le preguntó si no se acordaba de ella, a lo que James respondió con un brevísimo asentimiento y una mirada heladora, una mirada que literalmente decía: esfúmate, lárgate, no seas inoportuna. Pero una mirada que sólo tiene lugar entre dos personas que se conocen íntimamente, que han tenido y seguramente tienen un lío amoroso, una relación erótica. O mi intuición ya no sirve para nada o estoy en condiciones de asegurar sin sombra de duda que James y la señora Holdein han sido amantes. ¿Recuerdas la escena?

Asentí. A mí también me había impresionado, y asustado, la frialdad de James, pero en ese momento yo estaba muy atenta a los movimientos de Ishwar y James y buscaba la forma de mantener mi dignidad en medio de aquel enredo.

—La señora Holdein —siguió Mario— debe de ser por lo menos veinte años mayor que James, pero tiene una buena madurez y tal vez se conocieron hace años, eso no lo sabemos. Debió de ser una joven bastante atractiva. El caso es que ella se enamoró de ti, harta tal vez de las humillaciones de que James, a quien ella había reclutado como espía, le hacía objeto, o siguiendo una tendencia natural o porque tú despiertas oscuras pasiones, pero se enamoró de ti. Así que viene a España, te hace un regalo valioso y vagas pero indudables proposiciones amorosas, que tú rechazas, de forma que vuelve a los brazos de James, vencida y triste. James, que se la quiere quitar de encima, decide preparar su caída. Y hay que reconocer que no descuida el menor detalle. En las imputaciones que se le hacen a la señora Holdein no falta de nada. Bueno —suspiró—, el resto lo conoces bien.

—Nunca te ha gustado James —le dije, recordando que esa misma noche que acababa de evocar Mario se había esforzado por ser cordial con James y que no había sido tratado con excesiva amabilidad.

Mario se encogió de hombros.

—Al fin y al cabo —dijo— puedes pensar lo que quieras. La historia no cambia demasiado.

En la interpretación de Mario, James aparecía como un ser frío y maquiavélico y la señora Holdein como una dama muy desdichada, pero Mario no daba demasiada importancia al sufrimiento. Es curioso que las personas capaces de imaginar las mayores y más turbulentas pasiones sean siempre las más alejadas de ellas; lo imaginan porque no les cuesta nada, porque no son conscientes de la carga de dolor que deben sobrellevar.

La historia le divertía, y sería capaz de encontrar nuevas y más complicadas interpretaciones, ejercitando su indiscutible cualidad de observador ingenioso e imparcial. Lo que me asombraba y suscitaba mi envidia era su capacidad de observar a los demás desde lejos, sin implicarse, pero tal vez por eso yo buscaba su amistad, porque sus análisis, por muy exagerados que fueran, me tranquilizaban, me ayudaban a situarme, yo también, al margen de los hechos, y sólo en los momentos de auge, cuando el entusiasmo me dominaba, podía permitirme pensar que estaba equivocado, que había que implicarse, que la vida era eso y que todo lo que no fuera eso no merecía tener el nombre de vida. Pero hay muchas clases de vida, ciertamente.

Las tardes en las que mi padre iba a la tertulia del Casino, mi madre y Gisela hacían planes. No sé cuándo empezó aquella costumbre, pero cobró carácter de hábito y así, una tarde a la semana, mi casa quedaba totalmente vacía. No salían a hacer obras de caridad, sino al cine, al teatro, a la ópera, a conciertos. Durante toda la semana, preparaban aquellas salidas, buscaban entradas, miraban programas, investigaban y comparaban ofertas, descartando una posibilidad, eligiendo otra.

Sonó el teléfono en mi casa vacía, irrumpiendo en mi silencio, en la lectura de un libro, en mis pensamientos dormidos al fondo de la historia que imponía el libro.

Lo cogí, con la vaga y eterna esperanza con que uno coge siempre el teléfono cuando está solo y no espera a nadie. Era una voz de hombre que, de momento, no reconocí. Pero en seguida aquella voz cascada tuvo un nombre: era el tío Jorge.

—¿Y tus padres? —preguntó, después de interesarse un poco por mí.

Le puse al tanto de las nuevas costumbres de mi madre y de Gisela, que él aprobó con entusiasmo.

—No podemos dejarnos apolillar —dijo.

—¿Y Sofía? —le pregunté, a mi vez.

—No puedes imaginarte lo bien que está. Es otra. Terminó el tratamiento. Los médicos dicen que está perfectamente curada. —Sin embargo, suspiró—. Está en Sitges con unas amigas —informó, recuperando el tono optimista de su voz—. Los otoños son muy benignos aquí, y a ella le gusta el mar y la playa. Yo no soporto el sol ni la arena. Como decía el abuelo, son cosas de mal gusto —rió discretamente.

Se quedó callado y lo imaginé aburrido, junto al teléfono, marcando números y hablando mientras pasaba la tarde.

—¿Sabéis algo de Félix? —me atreví a preguntarle.

—Para eso os llamaba, precisamente para eso —dijo—. Hemos tenido noticias. Ayer recibí una carta suya, una carta muy cariñosa. Lo que no te imaginas es desde dónde. —Se rió de nuevo y algo en mi interior se agitó—. De Honolulú, ¿qué te parece? Me pregunto cómo ha ido tan lejos. Pero tiene un trabajo en un hotel y parece que el dueño le protege. Asiste a clases nocturnas. Es una carta muy seria. No es que se disculpe por su desaparición, pero nos da explicaciones. Ya le he contestado y le he mandado dinero. No es que a nosotros nos sobre, menos aún después del tratamiento de Sofía, pero tenemos que demostrar nuestra buena voluntad de algún modo, ¿no crees? Quiero estar en contacto con él, eso es lo que le he dicho en la carta, quiero que acuda a mí si tiene algún problema. No le voy a hacer ningún reproche. A fin de cuentas, ¿qué de malo hay que esté en Honolulú?

—Nada de malo. Debe de ser un buen lugar para vivir —dije, casi sin entonación.

—Bueno, espero que no se quede a vivir. Me gustaría que volviera y lo voy a intentar. Lo convenceré. Pero díselo a tu madre —dijo mi tío—. En realidad, llamaba para eso. Os agradecí mucho que me ayudarais. Nunca podré deciros cuánto. Ha sido un año muy duro, pero ahora todo se está arreglando.

Nos despedimos, dándonos sucesivas gracias por todo.

No busqué explicación ninguna a esa última coincidencia, pero como no me lo podía acabar de creer busqué en mi cajón la carta de la señora Holdein. No la había tirado, ni la suya ni la de James, aunque acabé tirando las dos, porque tenía entonces la absurda necesidad de poseer unas pruebas que demostraran que yo había vivido esas historias. Leí, de nuevo, la primera frase que había escrito la señora Holdein: «Le extrañará recibir esta carta mía desde Honolulú, pero he aprovechado el viaje de un amigo para que le envíe él la carta. Desde donde yo estoy, no le llegaría nunca.» Era Honolulú —ese nombre que había hecho reír a Mario—, con todas las letras, sin sombra de confusión alguna.

Salí a nuestra terraza todavía sin acristalar. Me hubiera gustado encontrar al chico que me había sonreído una tarde de verano, pero su ventana estaba cerrada y no había ninguna luz tras los cristales. De haberlo encontrado, de haberme hecho él algún gesto para citarnos en uno de los numerosos bares de nuestra calle, yo habría aceptado y ante uno de aquellos mostradores sobre los que a última hora de la tarde se agolpaba la gente procurando la atención del camarero y que poco a poco se iban quedando despoblados, produciendo la sensación de estar más sucios y más iluminados cuanto más vacíos, le habría contado algunas de las cosas que, como en una espiral, se habían ido sucediendo desde el último verano. Le habría hablado de la desaparición de Félix, aquella primavera, cuando su padrastro estaba a punto de pedirle perdón por no haberse ocupado de él, y de la carta que al fin había escrito a su padrastro desde Honolulú para decirle que tenía un trabajo serio en un hotel y que asistía a una escuela nocturna, y de la carta que me había enviado a mí desde Honolulú, una carta de una mujer, espía rusa y muy aficionada a la ópera, que yo había conocido en Delhi y que me había sacado varias fotos alrededor de la piscina del hotel, mientras Mario, mi compañero de viaje, andaba de un lado para otro, conociendo gente y ofreciendo mi botella de whisky a cambio de un poco de hachís que yo, a pesar de mi falta de práctica, conseguí fumar, lo que facilitó mi acercamiento a Ishwar en el restaurante del hotel, allí donde la mujer espía empezó a sacarnos fotos, y allí donde habían empezado a prepararse los acontecimientos de la larga noche que pasé en la habitación de Ishwar, desde donde él, en aquel momento tendido en la cama, esperaba la llegada de James, quien más tarde me dio un consejo sobre las formas de aficionarse a la ópera, y desde donde podía escucharse el ruido del agua en la piscina mientras yo nadaba y la mujer me contemplaba pensando ya en el brazalete que iba a regalarme y en la excusa que pondría para hacerlo y en las fotografías que me sacaría poco después y que dejó olvidadas en el cajón de una cómoda y que Alejandro descubrió según me contó mientras yo me iba enamorando de él, por lo cual me atreví más tarde a pedirle que diera cobijo a Félix, el hijastro de mi tío Jorge, en El Saúco, la finca de su tía Carolina, lo que hizo, y de donde Félix, cuando supo que su padrastro, mi tío Jorge, iba a visitarlo, huyó, emprendiendo el vuelo hacia Honolulú, donde había encontrado trabajo en un hotel y donde asistía a clases nocturnas y desde donde había escrito a su padrastro en un tono que mi tío había interpretado como de perdón o reconciliación y desde donde la mujer espía, caída en desgracia, en parte por mi culpa, por el regalo que ella me había dado y yo había dado a James y James a sus perseguidores, me había enviado una carta de amor que ya no esperaba respuesta. En aquel bar vacío de mi calle, ese bar sucio e iluminado con tubos de neón al que mi imaginación me trasladó en compañía del chico que me había mirado desde la ventana de enfrente, yo, a pesar de no tener respuesta para la carta que la mujer me había hecho enviar desde Honolulú, me lamenté de su suerte, aunque ese remite, Honolulú, como a mi amigo Mario, todavía me hacía sonreír, pero no en una sonrisa de amor, no la sonrisa de la fotografía que ella me había sacado mientras yo pensaba en el río marrón y fangoso con el que me había identificado al cabo de un viaje inesperadamente largo en el que me había embarcado sólo por huir de una espera inútil, tan semejante a mi eterno miedo a los veranos que se va diluyendo mientras cae la tarde y sólo queda esperar el refugio, el retiro, la brecha, el ofrecimiento de la noche.